*Recorta aqui
o teu diamante!

AVOZINHA GÂNGSTER

AVOZINHA GÂNGSTER

David Walliams

Ilustrado por Tony Ross

Tradução de Rita Amaral

Porto
Editora

Avozinha Gângster

David Walliams

Publicado em Portugal por:
Porto Editora
Divisão Editorial Literária – Porto
Email: delporto@portoeditora.pt

Publicado originalmente por HarperCollins Publishers com o título *Gangsta Granny*
Texto: © David Walliams 2011
Ilustrações: © Tony Ross 2011
Lettering do nome do autor: © Quentin Blake 2010
David Walliams e Tony Ross asseguram o direito moral de serem identificados como autor
e ilustrador desta obra, respetivamente.

1.ª edição: outubro de 2014
Reimpresso em dezembro de 2019

Rua da Restauração, 365
4099-023 Porto
Portugal

www.**portoeditora**.pt

Execução gráfica **Bloco Gráfico**
Unidade Industrial da Maia.
DEP. LEGAL 380554/14
ISBN 978-972-0-04691-8

Para Philip Onyango…

… o rapaz mais corajoso que alguma vez conheci.

Obrigados

Gostaria de agradecer a algumas pessoas que me ajudaram com este livro.

Em primeiro lugar, ao extremamente talentoso Tony Ross, pelas suas ilustrações mágicas. Em segundo lugar, a Ann Janine--Murtagh, a brilhante diretora dos livros para crianças da Harper-Collins. A Nick Lake, o meu editor dedicado e meu amigo. Aos fantásticos designers James Stevens e Elorine Grant, que trabalharam a capa e o texto, respetivamente. À meticulosa coordenadora editorial Lizzie Ryley. A Samantha White, pelo seu trabalho brilhante na promoção dos meus livros. À adorável Tanya Brennand--Roper, que produz as versões áudio. E, claro, ao meu sempre compreensivo agente literário Paul Stevens, do Independent.

Acima de tudo, gostaria de agradecer a vocês, os miúdos, por lerem os meus livros. Fico genuinamente grato quando vêm às

9

apresentações de livros, me escrevem cartas ou me enviam desenhos. Adoro contar-vos histórias. Espero conseguir imaginar muitas mais. Continuem a ler, faz-vos bem!

1

Água das couves

– Mas a avó é tãããããoooo chata – disse Ben.

Era uma tarde fria de sexta-feira, em novembro, e, como sempre, ele seguia amuado no banco de trás do carro dos pais. Mais uma vez, estava a caminho da temida casa da avó para passar lá a noite.

– *Todas* as pessoas velhas *são* chatas – concluiu.

– Não fales assim da tua avó – disse baixinho o pai, com a sua grande barriga esmagada contra o volante do pequeno carro castanho da família.

– Detesto ir a casa dela – protestou Ben. – A televisão não funciona, só quer jogar *Scrabble* e, além disso, ela cheira a couve!

– Verdade seja dita, ela cheira mesmo a couve – concordou a mãe, enquanto dava os últimos retoques com o batom.

11

– Não estás a ajudar, mulher – resmungou o pai. – No máximo, a minha mãe tem um ligeiro odor a legumes cozidos.

– Não posso ir convosco? – suplicou Ben. – Eu adoro danças de sala – mentiu ele.

– Chamam-se danças de *salão* – corrigiu o pai. – E tu não gostas disso. Tu disseste, e passo a citar: «preferia comer macacos do nariz a ver essa porcaria.»

Bem, os pais de Ben *amavam* danças de salão. Às vezes, Ben pensava que gostavam mais de danças do que dele. Ao sábado à noite dava um programa na televisão, que os pais de Ben nunca perdiam, chamado *Danças só com Estrelas*, onde pessoas famosas dançavam com dançarinos profissionais.

De facto, se houvesse um incêndio lá em casa e a mãe tivesse de escolher entre salvar o brilhante sapato de sapateado dourado usado por Flavio Flavioli (o dançarino/quebra-corações italiano, bronzeado e coberto de brilho, que aparecia em todas as temporadas do programa de TV de sucesso) ou o seu único filho, Ben achava que ela provavelmente escolheria o sapato. Nessa noite, a mãe e o pai iam a uma sala de espetáculos ver o *Danças só com Estrelas ao Vivo*.

– Ben, não sei porque não desistes deste sonho irrealista de ser canalizador e pensas em dançar profissionalmente – disse a mãe, cuja cara ficou rabiscada com batom depois de o carro saltar por cima de uma lomba particularmente elevada. A mãe tinha o hábito de se maquilhar no carro, o que quer dizer que muitas vezes chegava aos sítios a parecer um palhaço. – E talvez… talvez até pudesses conseguir entrar no *Estrelas* – acrescentou a mãe, entusiasmada.

– Oh, porque andar para lá aos saltos é estúpido – respondeu Ben.

A mãe choramingou um pouco e pegou num lenço.

– Estás a aborrecer a tua mãe. Agora cala-te, por favor, Ben, e sê um bom menino – respondeu firmemente o pai, aumentando o volume do leitor de CD.

Como não poderia deixar de ser, estava a tocar o CD das *Estrelas*, cuja capa estava decorada com o título *50 Grandes Êxitos do Programa de TV de Sucesso*. Ben odiava o CD porque já o tinha ouvido um milhão de vezes. Aliás, aquele CD já tinha tocado tantas vezes que parecia tortura.

A mãe de Ben trabalhava no salão de manicura *As Unhas da Gail*. Visto não terem muitas clientes, a mãe e a outra colega (que se chamava Gail, obviamente) passavam a maior parte dos dias a pintar as unhas uma à outra. Polindo, limpando, aparando, hidratando, pincelando, retocando, puxando lustro, limando, envernizando, aplicando extensões e pintando. Faziam montes de coisas às unhas uma da outra o dia todo (a não ser que o Flavio Flavioli estivesse a dar na televisão). Isso queria dizer que a mãe voltava sempre para casa com extensões feitas de plástico, extremamente longas e multicoloridas, na ponta dos dedos.

Por sua vez, o pai de Ben trabalhava como segurança no supermercado do bairro. Até à data, o ponto alto da sua carreira de 20 anos tinha sido parar um velhote que tinha escondido duas embalagens de margarina nas calças. Embora já fosse demasiado gordo para correr atrás dos ladrões, pelo menos conseguia bloquear-lhes a passagem. O pai tinha conhecido a mãe quando a acusou injustamente de roubar um pacote de batatas fritas e, um ano depois, estavam casados.

O carro virou a esquina até Grey Close, onde a avó morava. Vivia numa casa pequena e triste numa fila de muitas outras, maioritariamente habitadas por pessoas de idade.

O carro parou e Ben virou lentamente a cabeça em direção ao seu destino. A avó espreitava, expectante, pela janela da sala. Esperando. Esperando. Ela estava sempre à janela, à espera que ele chegasse. *Há quanto tempo estaria ela ali?*, pensou Ben. *Desde a semana passada?*

Ben era o único neto da senhora e, tanto quanto sabia, mais ninguém a ia visitar.

A avó acenou e sorriu para Ben que retribuiu com o sorriso possível da sua cara carrancuda.

– Pronto, um de nós vem buscar-te amanhã de manhã, por volta das 11h00 – disse o pai, sem desligar o carro.

– Não pode ser antes às 10h00?

– Ben! – rosnou o pai. Destrancou o fecho de segurança do carro e Ben abriu a porta, contrariado, para sair. É claro que Ben já não precisava do fecho de segurança para crianças: ele já tinha 11 anos e era pouco provável que abrisse a porta do carro com ele em andamento. Suspeitava até que o pai só o usava para impedir que ele se atirasse do carro quando iam a caminho da casa da avó.

Pum, fez a porta ao bater, à medida que o carro arrancava.

Antes de conseguir tocar à campainha, já a avó tinha aberto a porta. Uma enorme rajada de cheiro a couve explodiu na cara de Ben. Foi como uma grande estalada de pivete.

– A mamã e o papá não vão entrar? – perguntou ela, um pouco desanimada. Aquela era uma das coisas que Ben detestava na avó: falava-lhe como se ele fosse um bebé.

Ela era a típica avozinha:

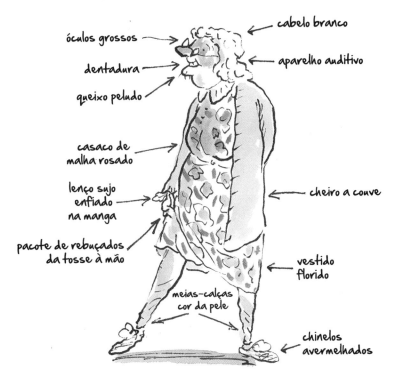

óculos grossos
dentadura
queixo peludo
casaco de malha rosado
lenço sujo enfiado na manga
pacote de rebuçados da tosse à mão
meias-calças cor da pele
cabelo branco
aparelho auditivo
cheiro a couve
vestido florido
chinelos avermelhados

Vrrrrooooooommmmm, vrooooooommmmmmm.

A avó e Ben ficaram a ver o pequeno carro castanho a ir-se embora, saltitando por cima das lombas. A mãe e o pai de Ben gostavam ainda menos de passar tempo com a avó. A casa dela era apenas um sítio prático para o deixar às sextas-feiras à noite.

– Hmm… Não. Lamento, avó… – balbuciou Ben.

– Pronto, está bem, entra lá – murmurou ela. – Bem, já preparei o *Scrabble* e, para o jantar, fiz o teu prato preferido... sopa de couve!

A cara de Ben fechou-se ainda mais. *Nããããããããããooooooooo!*, pensou ele.

2

Um pato a fazer *quá-quá*

Pouco depois, avó e neto estavam sentados à mesa da sala de jantar, um em frente ao outro, e em silêncio absoluto. Tal como acontecia todas as sextas-feiras à noite. Quando os pais não estavam a ver o *Estrelas* na TV, estavam a comer caril ou a ver filmes no cinema. A sexta-feira à noite era a noite em que iam sair e, desde que Ben se lembrava, deixavam-no sempre na avó. Se não fossem ver o *Danças só com Estrelas ao Vivo – em Palco e ao Vivo!*, iam ao Taj Mahal (o restaurante indiano na avenida principal, não o antigo monumento de mármore branco na Índia) comer o equivalente ao próprio peso em especiarias.

A única coisa que se ouvia na casa da avó era o tiquetaque do relógio de carruagem pousado em cima da lareira, o tilintar das colheres de metal nas taças de porcelana e o ocasional apito estridente do aparelho auditivo estragado da avó. Era um aparelho cujo objetivo não era aliviar a surdez da avó, mas causar surdez nos outros.

Esta era apenas uma das coisas que Ben detestava na avó. As outras eram:

1) A avó cuspia sempre no lenço usado que trazia enfiado na manga do casaco e depois usava-o para limpar a cara do neto.

2) A televisão dela estava estragada desde 1992. E agora estava coberta com tanto pó que parecia ter pelo.

3) A casa estava cheia de livros e a avó estava sempre a tentar convencer Ben a lê-los, apesar de saber que ele detestava.

4) A avó insistia em que se usasse um casaco grosso de inverno durante todo o ano, mesmo num dia insuportavelmente quente, porque senão «perdemos o calor todo.»

5) Ela tinha um cheiro insuportável a couve. (Qualquer pessoa que fosse alérgica a couve não se podia chegar a 15 quilómetros dela.)

6) Para a avó, um dia divertido era ir dar umas crostas bolorentas para os patos comerem.

7) Estava constantemente a dar puns e nem dava por eles.

8) Esses puns não cheiravam só a couve. Cheiravam a couve *podre*.

9) A avó mandava-o ir para a cama tão cedo que quase nem valia a pena acordar.

10) No Natal, ela tricotava-lhe camisolas com cãezinhos e gatinhos e os pais obrigavam-no a usá-las durante todo o período das férias de Natal.

– Como está a sopa? – perguntou a velhinha.

Ben estava há dez minutos a remexer o líquido verde-pálido naquela taça lascada, na esperança de que, de alguma forma, ele desaparecesse.

Mas não desaparecia.

E agora estava a arrefecer.

Pedaços frios de couve flutuavam numa água com sabor a couve, também ela fria.

– Mmmm, está deliciosa, obrigado – respondeu Ben.

– Ainda bem.

Tiquetaque, tiquetaque.

– Ainda bem – repetiu a senhora.

Plim. Plim.

– Ainda bem.

Parecia que a avó partilhava a mesma dificuldade de comunicar que Ben.

Plim plim. Piiiii.

– Como vai a escola? – perguntou ela.

– Uma seca – murmurou Ben. Os adultos perguntam sempre às crianças como corre a escola. O único assunto sobre o qual detestam falar. Nem *na escola* apetece falar sobre a escola!

– Ah – disse a avó.

Tiquetaque plim plim piiiii tiquetaque.

– Bem, tenho de ir ver o forno – informou a avó, depois de uma longa pausa seguida de uma pausa *ainda* maior. – Tenho a tua tarte de couve favorita a andar.

A velhinha levantou-se devagar e dirigiu-se à cozinha. A cada passo que dava, uma pequenina bolha de ar escapava-se do seu rabiosque descaído. Parecia um pato a fazer *quá-quá*. Ou ela não se apercebia ou tinha imenso jeito a fazer de conta que não se apercebia.

Ben seguiu-a com o olhar e, depois, pé ante pé, atravessou a sala – o que era muito difícil de fazer, porque havia montes de livros espalhados por todo o lado. A avó de Ben ADORAVA livros e parecia estar sempre com o nariz enterrado em algum. Estavam empilhados em prateleiras, alinhados em parapeitos, amontoados nos cantos...

Os livros favoritos dela eram os policiais. Livros sobre criminosos, ladrões de bancos, a máfia... desse género. Ben não sabia exatamente a diferença entre um criminoso e um mafioso, mas um criminoso parecia ser muito pior.

Apesar de Ben odiar ler, adorava ver as capas vistosas dos livros da avó. Tinham carros de alta cilindrada, pistolas e senhoras elegantes. Ben achava difícil acreditar que uma avó tão aborrecida como a sua pudesse gostar de ler histórias que pareciam tão emocionantes.

Porque é que ela é tão obcecada com mafiosos?, perguntava-se Ben. *Os mafiosos não vivem em casinhas destas. Os mafiosos*

não jogam Scrabble. *E quase de certeza que os mafiosos não chei-*
ram a couve.

Ben lia muito devagar e as professoras faziam-no sentir estúpido por não conseguir acompanhar os outros. A diretora até
o tinha atrasado um ano, na esperança de o ver chegar ao nível
de leitura dos colegas. Como resultado, todos os amigos estavam numa turma diferente e Ben sentia-se quase tão sozinho
na escola como se sentia em casa, com pais que só se interessa-
vam pelas danças de salão.

Eventualmente, depois de um momento difícil em que
quase deitava abaixo um monte de livros sobre crimes da vida
real, Ben conseguiu chegar ao vaso no canto da sala.

Com toda a rapidez, despejou o resto da sopa no vaso.
A planta tinha ar de estar praticamente a morrer e, se ainda
não estivesse morta, a sopa de couve fria da avó matá-la-ia de
certeza.

De repente, Ben ouviu chiar o rabiosque da avó, que agora
voltava para a sala, e correu disparado para a mesa. Sentou-se,
tentando parecer o mais inocente possível, com a tigela vazia
à sua frente e a colher na mão.

– Já acabei a sopa. Obrigado, avó. Estava ótima!

– Ainda bem – respondeu a senhora, regressando à mesa com uma panela em cima de um tabuleiro. – Tenho muito mais aqui para ti, filho!

E, sorrindo, serviu-lhe mais uma tigela.

Ben engoliu em seco, aterrorizado.

3

Semanário de Canalização

– Não consigo encontrar o *Semanário de Canalização*, Raj
– comentou Ben.

Era a sexta-feira seguinte e Ben pesquisava as prateleiras das revistas da loja do bairro. Não conseguia encontrar a sua revista preferida em lado nenhum. A revista era dirigida a canalizadores profissionais e Ben encantava-se com páginas e páginas de tubos, torneiras, cisternas, válvulas de flutuador, caldeiras, tanques e canos. O *Semanário de Canalização* era a única coisa que ele gostava de ler – especialmente porque estava cheio de imagens e diagramas. Desde que começara a conseguir pegar em objetos, Ben *adorava* tudo o que se relacionasse com a canalização. Enquanto a maior parte das crianças brincava com patinhos na banheira, Ben pedia aos pais pedaços de cano e construía complicados sistemas de canalização de água. Se uma torneira se estragasse lá em casa, ele arranjava-a. Se a sanita entupisse, Ben não ficava enojado – ficava em pulgas!

Mas os pais de Ben não concordavam que ele quisesse ser canalizador. Queriam que ele fosse rico e famoso e, tanto quanto sabiam, nunca tinha havido um canalizador rico e famoso. Ben tinha jeito para trabalhos manuais mas detestava ler, e ficava absolutamente fascinado quando um canalizador ia lá a casa arranjar uma fuga de água, observando-o com espanto, tal como um jovem médico olharia para um grande cirurgião a operar.

Contudo, o jovem Ben sentia que era uma desilusão para os pais. Eles queriam desesperadamente que ele realizasse o sonho que eles nunca tinham conseguido alcançar: tornar-se um profissional das danças de salão. Os pais de Ben tinham descoberto a paixão pelas danças de salão demasiado tarde para se tornarem campeões. E, honestamente, pareciam preferir ficar de rabo sentado a vê-las na televisão, a propriamente participar.

Sendo assim, Ben tentava manter a sua paixão escondida. Para não magoar o pai e a mãe, guardava as edições do *Semanário de Canalização* debaixo da cama. Também tinha feito um acordo com Raj e, todas as semanas, ele guardava-lhe a revista. Mas, agora, não a conseguia encontrar em lado nenhum.

Ben tinha-a procurado atrás das revistas *Bravo* e da *TV Guia*, e até tinha visto debaixo d' *A Senhora* (não uma senhora de verdade, mas uma revista chamada *A Senhora*), e nada! A loja de Raj era uma confusão, mas as pessoas iam lá de propósito, porque ele fazia-as sempre sorrir.

Raj estava a meio do escadote, a colocar as decorações de Natal. Bem, umas decorações que eram mais ou menos de Natal... porque, na realidade, estava a pendurar uma faixa que dizia «Feliz Aniversário», depois de tapar com corretor a palavra «Aniversário» e escrever «Natal» por cima, com uma esferográfica manhosa. Raj desceu cuidadosamente da escada e foi ajudar Ben.

– O teu *Semanário de Canalização*... mm... Deixa-me ver, já viste ao lado dos bombons de caramelo? – sugeriu Raj.

– Sim – respondeu Ben.

– E não está por baixo dos livros para colorir?

– Não.

– E viste atrás dos caramelos de 1 cêntimo?

– Sim.

– Bem, isto é um mistério. Eu sei que encomendei uma para ti, jovem Ben. Mm, muito misterioso… – Raj estava a falar muito devagar, como é normal quando as pessoas estão a pensar. – Desculpa, Ben, eu sei que a adoras, mas não faço a mínima ideia de onde está. Mas tenho um desconto nos *Cornettos*.

– É novembro, Raj, está um gelo lá fora! – disse Ben.

– Quem quer comer um gelado agora?

– Quando souberem deste desconto, toda a gente! Ora vê lá: compra 23 *Cornettos* e leva um grátis!

– Por que carga de água quereria eu 24 *Cornettos*?! – perguntou Ben, a rir-se.

– Mm, bem, não sei, talvez pudesses comer 12 e guardar os outros 12 no bolso para mais tarde.

– Isso são muitos *Cornettos*, Raj. Porque queres tanto livrar-te deles?

– Passam do prazo amanhã – explicou Raj, enquanto se deslocava desajeitadamente para o congelador, abria a tampa de vidro e tirava de lá a caixa de cartão dos *Cornettos*. De repente, uma névoa gelada encobriu a loja. – Olha: *Consumir de Preferência antes de 15 de novembro.*

Ben estudou a caixa.

– Aqui diz *Consumir de Preferência antes de 15 de novembro de 1996.*

– Bem – disse Raj –, mais uma razão para pô-los em saldo.

OK, Ben, esta é a minha última oferta. Compra uma caixa de *Cornettos* e eu dou-te 10 caixas completamente de graça!

– A sério, Raj. Não, obrigado – disse Ben. E espreitou para o congelador para ver o que mais poderia estar lá escondido.

O congelador nunca tinha sido descongelado e Ben não ficaria muito espantado se encontrasse lá um mamute peludo da Idade do Gelo, perfeitamente preservado.

– Espera aí – disse ele, enquanto desviava uns *Calippos* encrustados em gelo. – Está aqui! O *Semanário de Canalização*!

– Ah, sim, já me lembro – disse Raj. – Eu coloquei-a aí para ficar fresquinha.

– *Fresquinha?* – disse Ben.

– Ben, meu caro, a revista sai à terça-feira e hoje já é sexta. Portanto, pu-la no congelador para ficar fresca para ti, Ben. Não queria que se estragasse.

Ben não sabia bem como uma revista podia passar do prazo, mas agradeceu ao vendedor, ainda assim.

– Foi muito simpático da tua parte, Raj. E também vou querer um pacote de caramelos, por favor.

– Posso oferecer-te 73 pacotes de caramelos pelo preço de 72! – exclamou o vendedor, com um sorriso sedutor.

– Não, obrigado, Raj.

– 1000 pacotes de caramelos pelo preço de 998?

– Não, obrigado – disse Ben.

– Estás tolo, Ben? É uma oferta fantástica. Está bem, está bem... não é fácil negociar contigo, Ben. Um milhão e sete pacotes de caramelos, pelo preço de um milhão e quatro. Já são três pacotes totalmente de graça!

– Levo só um pacote e a revista, obrigado.

– Pois claro, meu caro.

– Mal posso esperar para mergulhar no *Semanário de Canalização* mais tarde. Tenho de passar a noite em casa da minha avó chata outra vez.

Tinha passado uma semana desde a última visita de Ben e a temida sexta-feira já cá estava outra vez. Os pais iam ver um filme romântico, dissera-lhe a mãe. Romance e beijos e toda essa porcaria. *Nhec nhec nhec.*

– Ai, *ai, ai* – disse Raj, abanando a cabeça ao mesmo tempo que contava o troco de Ben.

Ben ficou logo com vergonha. Nunca tinha visto o vendedor a fazer aquilo. Tal como os outros miúdos do bairro, Ben via Raj como «um dos nossos» e não como «um deles». Ele era tão cheio de gargalhadas e vida que parecia estar a milhas de todos os adultos, como pais e professores, que achavam que podiam ralhar com uma criança só porque eram mais velhos.

– Lá porque a tua avó é idosa, caro Ben – disse Raj –, não quer dizer que seja chata. Eu também já tenho uns anos e, de todas as vezes que estive com a tua avó, achei-a uma senhora muito interessante.

– Mas...

– Não sejas tão duro com ela, Ben – pediu Raj. – Um dia, vamos ser todos velhos. Até tu. E tenho a certeza de que a tua avó deve ter um segredo ou dois. As pessoas mais velhas têm sempre segredos...

4

Mistério e assombro

Ben não tinha a certeza se Raj teria razão em relação à avó. Naquela noite, foi outra vez a mesma coisa. A avó serviu sopa de couve, seguida de tarte de couve e, para a sobremesa, mousse de couve. A senhora até tinha encontrado algures uns chocolates de servir com o café com sabor a couve[1]! Depois de jantar, como sempre, a avó e Ben sentaram-se no sofá empoeirado.

– Hora do *Scrabble*! – exclamou a avó.

Que bom, pensou Ben. *Hoje ainda vai ser um milhão de vezes mais chato do que na semana passada!*

Ben odiava *Scrabble*. Se pudesse, construía um foguetão e mandava todos os jogos de *Scrabble* para o espaço. A avó tirou

---

[1] Chocolates com sabor a couve não são tão bons como soam; e não soam lá muito bem.

a caixa poeirenta de *Scrabble* do móvel da sala de jantar e colocou o jogo no pufe.

Ben suspirou.

Depois do que parecia terem sido décadas, mas provavelmente seriam só umas horas, Ben fitou as letras, antes de passar os olhos no tabuleiro. Já tinha conseguido compor as seguintes palavras:

CHATO

ANTIQUADO

QUÁQUÁ (pontuação palavra dupla)

INÚTIL

PESTILENTO (esta teve de ir ver ao dicionário)

RUGAS

COUVENJOADO (pontuação palavra dupla)

FUGIR

SOCORRO

ODEIOESTEJOGOESTÚPIDO (A avó não tinha permitido esta, visto não ser uma palavra só.)

Ben tinha um «T», um «O», um «I» e um «D». A avó tinha acabado de pôr «Mentol», por isso Ben usou o «E» no início da palavra e escreveu «Tédio».

– Bem, são quase 20h00, meu jovem – anunciou a avó, olhando para o seu pequeno relógio dourado. – Acho que está na hora do xixi-cama...

Ben rosnou para dentro. *Hora do xixi-cama!* Ele não era nenhum bebé!

– Mas em casa não tenho de ir para a cama antes das 21h00! – protestou Ben. – E nunca antes das 22h00, quando não tenho aulas no dia seguinte.

– Não, Ben, vai lá para a cama, por favor. – A velha senhora podia ser bem dura quando queria. – E não te esqueças de lavar os dentes. Daqui a pouco, vou contar-te uma história para dormir, se quiseres. Sempre adoraste ouvir histórias antes de adormecer.

Pouco depois, Ben estava diante do lavatório da casa de banho. Era uma divisão fria e húmida, sem janelas. Alguns azulejos tinham caído da parede. Havia apenas uma pequena e triste toalha coçada e um sabonete muito gasto, que mais parecia ser metade sabonete, metade bolor.

Ben detestava lavar os dentes, portanto fingia que os lavava.

Fingir que se lava os dentes é fácil. Não digam aos vossos pais que vos contei isto, mas, se quiserem experimentar, tudo o que têm de fazer é seguir este prático guia passo a passo:

1) Abrir a água fria

2) Molhar a escova

3) Espremer uma pequenina quantidade de pasta dos dentes para o dedo e colocar o dedo na boca

4) Espalhar o pedaço de pasta dos dentes pela boca com a língua

5) Cuspir

6) Fechar a
torneira

Veem? É muito fácil. Quase tão fácil como lavar os dentes.

Ben olhou-se no espelho da casa de banho.

Tinha 11 anos, mas era mais baixo do que gostaria, por isso, pôs-se em bicos de pés por um instante. Como ansiava ser mais velho.

Só mais uns aninhos, pensou ele, e seria mais alto, mais peludo, teria mais borbulhas e as suas sextas-feiras à noite seriam bem diferentes.

Já não teria de ficar em casa da avó chata e velha. Em vez disso, Ben poderia fazer todas as coisas emocionantes que os rapazes mais velhos faziam à sexta-feira à noite:

Estar com um grupo de amigos à porta de uma loja de bebidas, à espera que alguém os mande embora.

Ou, então, ficar numa paragem de autocarro com umas raparigas em fato de treino a mascar chiclete, sem nunca chegar a entrar no autocarro.

Sim, havia um mundo inteiro de mistérios e maravilhas à sua espera.

Apesar disso, para já, mesmo que ainda estivesse de dia lá fora e ele ainda ouvisse os rapazes num parque das redondezas a jogar futebol, Ben tinha de ir para a cama. Para a cama pequenina e dura, no minúsculo quarto húmido da casa em ruínas da avó. Que cheirava a couve.

E não apenas um bocadinho...

Cheirava mesmo muito a couve.

Suspirando, Ben deitou-se e cobriu-se.

Nessa altura, a avó abriu cuidadosamente a porta do quarto dele. Ben apressou-se a fechar os olhos e fingiu estar a dormir. Com alguma dificuldade, a senhora aproximou-se da cama e Ben sentiu-a de pé, ao lado dele.

– Ia contar-te uma história para adormeceres – sussurrou.

A velha senhora costumava contar-lhe histórias quando ele era mais novo. Histórias sobre piratas e ladrões e mestres do crime, mas agora ele era demasiado crescido para essas parvoíces.

– Que pena já estares a dormir – continuou ela. – Bem, só queria dizer que gosto muito de ti. Boa noite, meu querido Benny.

Ben também detestava que lhe chamassem *Benny*.

E que lhe chamassem *querido*.

O pesadelo continuou, quando Ben sentiu a avó inclinar-se para lhe dar um beijo. Os pelos velhos e espinhosos do queixo dela espetaram-se desconfortavelmente na sua bochecha. Depois, ouviu o familiar *quá-quá* rítmico que o rabiosque da senhora produzia a cada passo que dava. E ela lá foi chiando até chegar à porta, fechando-a ao sair, deixando o cheiro preso lá dentro.

Já chega, pensou Ben. *Tenho de fugir!*

5

Um pouco triste

– Rrrrrrrrrrrrrrrr… ppffffffffffffffff… Rrrrrrrrrrrrrrrr… ppffffffffffff

Não, caro leitor, não compraste a edição estrangeira deste livro. Este era o som pelo qual Ben esperava.

A avó a ressonar.

Estava finalmente a dormir.

– Rrrrrrrrrrrrrrrr… pppppppffffffff

– Rrrrrrrrrrrrrrrrrrr… pppppffffffffffffffffff… Rrrrrrrrrrrrrrrrrr…

Ben saiu do quarto pé ante pé e dirigiu-se ao telefone da entrada. Era um daqueles telefones à moda antiga que ronronava como um gato de cada vez que se marcava um número.

– Mãe…? – sussurrou ele.

– Quase não te consigo ouvir! – gritou ela. Ao fundo,

a música *jazz* tocava muito alto. A mãe e o pai tinham voltado à sala de espetáculos para ver *Danças só com Estrelas ao Vivo – em Palco e ao Vivo!* Provavelmente, estaria a babar-se a ver o Flavio Flavioli a abanar as ancas e a partir os corações de milhares de mulheres de uma certa idade.

– O que é que se passa? Está tudo bem? A velhota não morreu, pois não?

– Não, ela está bem, mas eu odeio estar aqui. Não podes vir buscar-me? Por favor – sussurrou Ben.

– O Flavio ainda nem dançou pela segunda vez.

– Por favor – implorou ele. – Quero ir para casa. A avó é tão chata. Passar tempo com ela é uma tortura.

– Fala com o teu pai.

Ben ouviu um som abafado, à medida que o telefone era passado para o pai.

– Estou sim? – gritou o pai.

– Fala mais baixo, por favor!

– O quê? – gritou outra vez.

– *Chiu.* Fala baixo. Vais acordar a avó. Podes vir buscar-me, pai? Por favor? Odeio estar aqui.

– Não, não podemos. Ver este espetáculo é uma oportunidade que só surge uma vez na vida.

– Viste-o na semana passada! – protestou Ben.

– Duas vezes, então.

– E disseste que vão outra vez na próxima sexta!

– Olha, rapaz, se continuas a ser atrevido, podes ficar com ela até ao Natal. Adeus!

Dito isto, o pai desligou. Ben voltou a pousar cuidadosamente o auscultador na base e o telefone fez um pequeníssimo «plim».

De repente, reparou que o ressonar da avó tinha parado. Será que ela o tinha ouvido? Olhou para trás e pareceu-lhe ver a sombra da avó, mas depois desapareceu.

Era verdade que Ben a achava aborrecida, mas ele não queria que ela soubesse o que realmente sentia. Afinal de contas, ela era uma velha viúva solitária e o marido tinha morrido muito antes de Ben nascer. Sentindo-se culpado, Ben voltou para o quarto e esperou, esperou, esperou até de manhã.

Ao pequeno-almoço, a avó parecia diferente.

Mais silenciosa. Talvez mais envelhecida. Um pouco triste. Os olhos dela estavam avermelhados, como se tivesse estado a chorar.

Será que ela ouviu?, pensou Ben. *Espero mesmo que não.* A avó estava diante do fogão e Ben estava sentado à pequena mesa da cozinha. A avó fingia estar interessada no calendário pregado na parede perto do fogão. Ben conseguia ver que ela estava a fingir, porque não havia nada de interessante no calendário.

Esta era uma semana típica na vida agitada da avó:

Segunda-feira: Fazer sopa de couve. Jogar *Scrabble* sozinha. Ler um livro.

Terça-feira: Fazer tarte de couve. Ler outro livro. Soltar puns.

Quarta-feira: Fazer o prato «Surpresa de Chocolate». A surpresa é que não era feito de chocolate. Porque era 100% couve.

Quinta-feira: Chupar um rebuçado de mentol todo o dia. (Ela conseguia fazer um só rebuçado durar uma vida inteira.)

Sexta-feira: Continuar a chupar o mesmo rebuçado. O meu querido neto vem-me visitar.

Sábado: O meu querido neto vai-se embora. Descansar mais um bocadinho. Fazer cocó!

Domingo: Comer couve assada, com couve refogada e couve cozida a acompanhar. Dar puns o dia todo.

Finalmente, a avó afastou-se do calendário.

– A tua mamã e papá devem estar quase a chegar – disse ela, quebrando o silêncio.

– Sim – respondeu Ben, olhando para o relógio. – Mais uns minutinhos.

Os minutos pareceram horas. Dias até. Meses!

Um minuto pode ser muito tempo. Não acreditam? Então

sentem-se num quarto sozinhos e não façam mais nada senão contar até 60.

Já está? Não acredito. Não estou a brincar. Quero mesmo que o façam.

Não continuo com a história até o terem feito.

Não é o meu tempo que estamos a perder.

Tenho o dia todo.

Certo, já o fizeram, então? Boa. Agora, de volta à história...

Pouco depois das 11h00, o pequeno carro castanho aproximou-se de casa da avó. Quase como um condutor de ladrões de bancos, a mãe deixou o carro ligado. Inclinou-se e abriu a porta do passageiro, para Ben poder entrar rapidamente e depois arrancar.

Enquanto Ben se arrastava para o carro, a avó observava-os à porta de casa.

– Queres entrar para tomar um chazinho, Linda? – gritou ela.

– Não, obrigada – respondeu a mãe de Ben. – Rápido,

Ben, por amor de Deus, entra! – A mãe carregou no acelerador.

– Não quero ter de falar com a velha.

– *Chiu!* – protestou Ben. – Ela pode ouvir-te!

– Pensei que não gostavas da avó! – disse a mãe.

– Não digas isso, mãe. Eu disse que a achava chata. Mas não quero que *ela* saiba isso, não achas?

A mãe riu-se à medida que aceleravam para longe de Grey Close.

– Eu cá não me preocupava, Ben. A avó já não está lá muito bem da cabeça. Provavelmente, não percebe metade das coisas que dizes.

Ben lançou-lhe um olhar de reprovação. Não sabia se seria mesmo assim. Não sabia mesmo. Lembrou-se da cara da avó ao pequeno-almoço. De repente, ficou com o pressentimento horrível de que ela percebia muito mais do que ele podia imaginar...

6

Ovo molhado e frio

Se Ben não se tivesse lembrado de levar a sua revista consigo, aquela sexta-feira teria sido tão espetacularmente entediante quanto a anterior. Mais uma vez, a mãe e o pai despejaram o seu único filho em casa da avó.

Mal chegou, Ben apressou-se a ir para o quartinho húmido e frio, fechou a porta e leu a última edição do *Semanário de Canalização* de uma ponta à outra. Havia um guia espetacular, com montes e montes de fotografias a cores, que mostrava como instalar a novíssima geração de caldeiras combinadas. Ben dobrou o canto da folha. Já sabia o que queria para o Natal.

Quando acabou de ler a revista, o rapaz suspirou e dirigiu-se à sala. Ele sabia que não podia ficar no quarto a noite toda.

A avó olhou para ele e sorriu quando o viu.

– Hora do *Scrabble*!– exclamou, exibindo a caixa do jogo.

Na manhã seguinte, o ar estava pesado, de tanto silêncio.

– Mais um ovo cozido? – ofereceu a avó, sentada na sua pequena cozinha decadente.

Ben não gostava de ovos cozidos e ainda não tinha acabado o primeiro. A avó conseguia estragar até o prato mais simples. O ovo saía aguado e as fatias de torrada ficavam reduzidas a cinzas. Quando a senhora não estava a olhar, Ben lançava o ranho do ovo pela janela com a colher e escondia as fatias de torrada atrás do radiador. Já devia haver uma padaria inteira lá atrás.

– Não, obrigado, avó. Estou mesmo cheio – respondeu Ben. – O ovo estava delicioso, obrigado – acrescentou.

– Mm… – murmurou a senhora, não muito convencida.

– Está frescote. Vou pôr mais um casaco de malha – disse ela, apesar de já estar a usar dois. A avó arrastou-se para fora da divisão, continuando com o seu *quá-quá*.

Ben lançou o resto do ovo pela janela e tentou encontrar outra coisa para comer. Ele sabia que a avó escondia as bolachas de chocolate na prateleira de cima da cozinha, porque dava-lhe uma sempre que fazia anos. De vez em quando, Ben ia lá buscar uma, quando as especialidades à base de couve da avó o deixavam com uma fome de lobo.

Rapidamente, deslizou a cadeira até ao armário e subiu para conseguir chegar às bolachas. Pegou na lata, uma enorme caixa de sortido comemorativa do Jubileu de Prata de 1977, que exibia um retrato bastante arranhado e baço de uma jovem Rainha Isabel II na tampa. Parecia muito pesada. Mais pesada do que o habitual.

Que estranho.

Ben abanou um pouco a lata.

Não parecia ter bolachas lá dentro.

Parecia ter pedras ou berlindes.

Ainda mais estranho.

Ben tirou a tampa.

Ficou pasmado, a olhar.

E olhou um pouco mais.

Não conseguia acreditar no que via lá dentro.

Diamantes! Anéis, pulseiras, colares, brincos, todos com diamantes grandes e brilhantes.

Diamantes, diamantes e mais diamantes!

Ben não era nenhum perito, mas achou que deveria haver milhares de euros em joias na lata das bolachas – talvez até milhões.

De repente, ouviu o *quá-quá* da avó a dirigir-se para a cozinha. Desesperadamente, conseguiu tapar a lata e voltar a pô-la na prateleira. Saltou da cadeira, arrastou-a para a mesa e sentou-se.

Ao olhar para a janela, reparou que o ovo que tinha atirado não tinha voado por ela, mas estava espalhado pelo vidro. Se secasse, a avó precisaria de um maçarico para o tirar. Correu para a janela e chupou o ovo molhado e frio do vidro, voltando logo a sentar-se. Era demasiado horrível para engolir e assim, em pânico, ficou com ele na boca.

A avó entrou finalmente na cozinha, já com o seu terceiro casaco de malha vestido.

E sempre a fazer *quá-quá*.

– É melhor vestires o casaco, rapaz. A mamã e o papá devem estar mesmo a chegar – disse, com um sorriso.

Com esforço, Ben engoliu o ovo frio. Que lhe deslizou pela garganta abaixo. *Blhec*, *blhec* e mais *blhec*.

– Sim – respondeu ele, cheio de medo de vomitar e voltar a pintar a janela de ovo.

Mexido!

7

Sacos de estrume

– Hoje posso ficar em casa da avó outra vez? – perguntou Ben, do banco de trás do pequeno carro castanho dos pais. Os diamantes na lata das bolachas intrigavam-no e estava desesperado por fazer algum trabalho de detetive. Talvez até vasculhar todos os cantos da casa da senhora. Era tudo tão misterioso... Raj tinha-o avisado de que a avó dele podia ter um segredo ou dois. E parece que estava certo! Qualquer que fosse o segredo da avó, tinha de ser espetacular para explicar a presença de tantos diamantes. E se ela tivesse sido, em tempos, milionária? Ou se tivesse trabalhado numa mina de diamantes? Talvez os tivesse herdado de uma princesa... Ben mal podia esperar para descobrir.

– O quê? – perguntou o pai, espantado.

– Mas tu disseste que ela era uma chata – continuou a mãe,

igualmente espantada e até irritada. – Tu disseste que todas as pessoas velhas são chatas.

– Estava a brincar – respondeu Ben.

O pai de Ben estudou o filho pelo espelho retrovisor. De certa forma, já achava difícil perceber um jovem obcecado por canalizações. Mas, desta vez, ele não estava a fazer sentido nenhum.

– Mmmm... bem... se tens a certeza, Ben.

– Tenho a certeza, pai.

– Eu ligo-lhe quando chegarmos a casa. Só para confirmar que ela não vai sair.

– Sair! – troçou a mãe. – A velha não sai há 20 anos! – acrescentou, com uma risada.

Ben não percebeu muito bem porque é que isso tinha piada.

– Eu cheguei a levá-la ao jardim! – protestou o pai.

– Isso foi só porque precisavas de alguém para te ajudar a carregar aqueles sacos de estrume – ripostou a mãe.

– Mesmo assim, teve um dia em grande – disse o pai, parecendo amuado.

Mais tarde, Ben sentou-se sozinho na cama. A mente dele estava a mil!

Onde teria a avó arranjado aqueles diamantes?

Quanto poderiam valer?

Porque vivia ela naquela casinha triste, se era tão rica?

Ben pensava e pensava, mas não encontrava respostas.

Então, o pai entrou no quarto.

– A avó vai estar ocupada. Disse que gostava muito de estar contigo, mas hoje à noite vai sair – anunciou ele.

– O quê?! – balbuciou Ben. A avó raramente saía e Ben tinha visto o calendário dela. O mistério estava cada vez mais misterioso...

8

Uma pequena peruca num frasco

Ben estava escondido nos arbustos à porta da casa da avó.

Enquanto os pais viam o *Danças só com Estrelas* lá em baixo, na sala, Ben desceu pelo cano do lado de fora da janela do quarto e percorreu de bicicleta os oito quilómetros até casa da avó. Ben não gostava de andar de bicicleta, o que mostrava bem quão curioso estava acerca da avó. Os pais estavam sempre a dizer--lhe para fazer mais exercício. Diziam-lhe que estar em forma era absolutamente necessário para se tornar um dançarino profissional. Visto que isso não fazia diferença para quem precisasse de se deitar debaixo de um lavatório e atarraxar um cano de cobre novo, Ben nunca tinha feito exercício por iniciativa própria.

Até agora.

Se a avó ia mesmo sair pela primeira vez em anos, Ben

tinha de saber aonde ia. Podia ser a chave para descobrir como tinha ela tantos diamantes na lata de bolachas.

A bufar e a soprar, seguiu o caminho ao longo do canal, na sua bicicleta velha, até chegar a Grey Close. E porque era novembro, em vez de estar coberto de suor, Ben estava só ligeiramente húmido.

Pedalou rapidamente, porque sabia que não tinha muito tempo. O *Danças só com Estrelas* parecia durar horas e até dias, mas Ben tinha demorado meia hora até chegar a casa da avó, e logo que o programa acabasse, a mãe chamá-lo-ia para jantar. Os pais de Ben adoravam todos os programas de dança – como *Dançando no Gelo, Achas que sabes dançar um bocadinho?* –, mas eram mesmo obcecados com o *Danças só com Estrelas*. Tinham todos os episódios gravados e uma coleção incomparável de recordações do programa, incluindo:

- Uma tanga verde-lima usada por Flavio Flavioli, encaixilhada juntamente com uma fotografia dele a usá-la
- Um marcador de livros do *Danças só com Estrelas* feito de pele falsa verdadeira

59

- Uma pomada para o pé de atleta assinada pela parceira de dança de Flavio, a beleza austríaca Eva Bunz
- Caneleiras oficiais do *Danças só com Estrelas*, para homem e para mulher
- Um CD de músicas que quase foram usadas no programa
- Uma pequena peruca (dentro de um frasco), usada pelo apresentador, *Sir* Dirk Doddery

- Uma imagem recortada em cartão de Flavio Flavioli, em tamanho real, besuntada com o batom da mãe na boca.
- Um pouco de cera de ouvido (num frasco) que tinha pertencido a uma participante famosa, a política Rachel Prejudice

- Um par de meias-calças que cheiravam à Eva Bunz
- Uns rabiscos num guardanapo, ilustrando um rabo de um senhor, feitos pelo jurado desagradável, Craig Malteser-Woodward
- Uma coleção de copos para ovo
- Meio tubo de cera automóvel *Raxjex* usado para abrilhantar Flavio Flavioli
- Um boneco de Craig Malteser-Woodward
- Uma crosta de piza havaiana, que tinha sido comida por Flavio (juntamente com uma carta de autenticidade assinada por Eva Bunz)

Era sábado, portanto, depois de o programa acabar, a família ia comer feijões gratinados e salsichas. Nenhum dos pais sabia cozinhar e, de todas as refeições pré-feitas que a mãe tirava do congelador, picava com um garfo e punha no micro--ondas durante três minutos, aquela era a preferida de Ben. Ben estava com fome e queria chegar a tempo de a comer – o que queria dizer que tinha de regressar rapidamente da casa da avó. Se fosse uma segunda-feira à noite e fossem comer Lasanha de

Galinha Tikka, ou uma quarta-feira e fossem comer Piza Doner Kebab, ou até domingo em que o menu era Pudim de Yorkshire Chow Mein[2], Ben nem se incomodava tanto.

Caía a noite. Como era final de novembro, estava a ficar cada vez mais frio e mais escuro, e Ben tremia enquanto espiava a avó, escondido nos arbustos. *Onde será que ela vai?*, perguntava-se Ben. *Ela raramente sai.*

Então, o rapaz apercebeu-se de uma sombra a mexer-se dentro de casa. Nessa altura, a avó veio à janela e Ben escondeu-se rapidamente. Os arbustos mexeram-se. *Chiu!*, pensou Ben. Será que a senhora o tinha visto?

Alguns momentos depois, a porta da frente abriu-se devagar e saiu alguém completamente vestido de preto. Camisola preta, calças justas pretas, luvas pretas, meias pretas e provavelmente cuecas e sutiã pretos. Um passa-montanhas preto escondia a face, mas Ben conseguiu ver que era a avó. Mais

---

[2] A cadeia de supermercados onde o pai de Ben trabalhava gostava de unir a culinária de dois países numa embalagem de ir ao micro-ondas. Ao combinar pratos de diferentes países, talvez fosse possível trazer paz a um mundo profundamente dividido. E daí, talvez não...

parecia alguém saído das capas dos livros que ela adorava ler. A senhora montou a mota para idosos e acelerou.

Para onde iria?

E, mais importante, porque estaria ela vestida como um ninja?

Ben encostou a bicicleta aos arbustos e preparou-se para seguir a avó, coisa que nunca na vida tinha imaginado fazer.

Tal como uma aranha a escapar-se pela casa de banho para não ser vista, a avó guiava a mota rente às paredes. Ben seguia atrás dela a pé, o mais silenciosamente que lhe era possível.

Não era assim tão difícil acompanhar, visto que a velocidade máxima da *scooter* de mobilidade era de seis quilómetros por hora. Zunindo pela rua fora, a avó olhou para trás de repente, como se tivesse ouvido qualquer coisa, e Ben saltou para trás de uma árvore.

O rapaz esperou, sustendo a respiração.

Nada.

Depois de alguns minutos, espreitou por detrás do tronco e viu que a avó tinha chegado ao fim da rua. Continuou a perseguição.

Em breve estavam perto da avenida principal da cidade. Estava completamente deserta. Era o início da noite, mas as lojas já tinham fechado e os bares e restaurantes ainda não estavam abertos. A avó evitava as luzes dos postes de iluminação e saltava de porta em porta, aproximando-se do seu destino.

Ben ficou pasmo quando viu onde ela tinha estacionado.

Diante da joalharia.

Na montra cintilavam colares, anéis e pulseiras. Ben nem conseguia acreditar quando viu a avó tirar uma lata de sopa de couve do cesto da mota. De uma forma teatral, a avó olhou em volta e deu lanço ao braço, pronta para estilhaçar a montra da loja com a lata.

– Nãããooooo! – gritou Ben.

A avó deixou cair a lata, que se espatifou no chão, espalhando sopa de couve pelo passeio.

– Ben? – sussurrou a avó. – O que estás aqui a fazer?

9

A Gata Preta

Ben fitou a avó, toda vestida de preto, parada diante da joalharia.

– Ben? – insistiu ela. – Porque me estás a seguir?

– Eu só... eu... – Ben estava tão chocado que nem conseguia elaborar uma frase.

– Bem – disse ela. – O que quer que seja que estejas aqui a fazer, vai alertar a polícia. É melhor irmos embora. Anda, rápido, salta para aqui.

– Mas eu não posso...

– Ben! Temos cerca de 30 segundos até as câmaras de videovigilância ligarem – disse, apontando para uma câmara aparafusada à parede de uns apartamentos, perto da fila de lojas.

Ben saltou para a mota.

– Tu sabes quando as câmaras se ligam? – perguntou ele.

– Oh – disse a avó –, até te espantavas com as coisas que eu sei.

Enquanto a avó conduzia, Ben observava-a. Tinha acabado de testemunhar a avó a preparar-se para assaltar uma joalharia. Como poderia ficar ainda *mais* espantado? Claramente, havia muito a descobrir sobre a sua avó.

– Segura-te – avisou a avó. – Vou dar-lhe gás.

A senhora rodou a manete da mota violentamente, embora Ben não lhe sentisse o efeito. Avó e neto seguiram pelo escuro fora, a quatro quilómetros por hora, por causa do peso a mais.

– A *Gata Preta*? – repetiu Ben. Estavam novamente sentados na sala da avó. Ela tinha preparado um bule de chá e trazido umas bolachas de chocolate.

– Sim, era isso que me chamavam – respondeu a avó. – Eu era a ladra de joias mais procurada no mundo.

A cabeça de Ben explodia com milhões de perguntas. *Porquê? Onde? Quem? O quê? Quando?* Era impossível saber o que havia de perguntar primeiro.

– Mais ninguém sabe a não ser tu, Ben – continuou a avó.

– Até o teu avô foi para a cova sem saber. És capaz de guardar um segredo? Mas tens de prometer que não contas a ninguém.

– Mas...

Por momentos, a expressão da avó pareceu-lhe feroz. Tal como uma cobra prestes a morder, os seus olhos cerraram e ficaram mais penetrantes.

– Tens de prometer – insistiu a senhora, com uma intensidade que Ben nunca lhe tinha visto.

– Nós, os criminosos, levamos as nossas promessas muito a sério. *Muito* a sério.

Um pouco assustado, Ben engoliu em seco.

– Prometo não contar a ninguém.

– Nem à tua mãe nem ao teu pai! – rosnou a avó, quase cuspindo a dentadura.

– Já disse que prometo não contar a ninguém – rosnou de volta Ben.

Ultimamente, Ben andava a aprender os diagramas de Venn na escola. Visto que tinha prometido não contar a ninguém e supondo que «ninguém» correspondia ao Conjunto A, então, os pais estavam incluídos no Conjunto A e eram claramente um subproduto dele, logo, não havia necessidade de a avó pedir a Ben para jurar uma segunda vez.

Ora vejam lá este prático diagrama:

Conjunto A, ninguém.

Conjunto B, pais.

Mas Ben não achava que a avó ia estar interessada em diagramas de Venn naquele momento. Visto que ela continuava a olhá-lo com aqueles olhos assustadores, o rapaz suspirou e disse:

— Está bem, prometo não contar aos meus pais.

– Lindo menino – disse a avó, com o aparelho auditivo a começar a apitar.

– Mmm, mas com uma condição – desafiou Ben.

– Qual? – perguntou a avó, um pouco perplexa com o atrevimento.

– Tens de me contar tudo...

10

Tudo

– Devia ter a tua idade quando roubei o meu primeiro anel de diamantes – contou a avó.

Ben nem queria acreditar, porque, por um lado, parecia impossível que a avó algum dia tivesse tido a sua idade e, por outro lado, porque as raparigas de 11 anos normalmente não roubam diamantes. Talvez canetas de brilhantes, ganchos de cabelo ou póneis de brincar, mas diamantes, decididamente, não.

– Eu sei que olhas para mim e só vês o meu *Scrabble*, os meus tricôs e a minha paixão por couve. E sei que pensas que sou só uma velhota chata...

– Não... – respondeu Ben, de uma forma não muito convincente.

– Mas, filho, esqueces-te de que já fui jovem.

– Qual foi o primeiro anel que roubaste? – perguntou Ben, entusiasmado. – Tinha um grande diamante?

A senhora riu-se.

– Não era lá muito grande, não! Foi o meu primeiro anel. Ainda o tenho algures. Vai à cozinha, vais, Ben? E traz-me ali da prateleira a lata de biscoitos do Jubileu de Prata.

Ben encolheu os ombros, como se não soubesse nada sobre a lata de biscoitos do Jubileu de Prata nem do seu conteúdo incrível.

– Onde é que está, avó? – perguntou Ben ao sair da sala.

– Na prateleira de cima da despensa, rapaz! – disse a avó.

– Rapidinho. Os teus pais vão começar a perguntar onde tu andas.

Ben lembrou-se que queria voltar depressa para casa e comer os feijões gratinados com salsicha. Mas, naquele momento, aquilo parecia-lhe completamente insignificante. Já nem tinha fome. Voltou à sala com a lata. Ainda era mais pesada do que ele se lembrava. Deu-a à avó.

– Lindo menino – disse ela, enquanto inspecionava os conteúdos da lata e escolhia um pequeno brilhante lindo.

– Ahh, sim, é este!

Para Ben, todos os anéis de diamantes pareciam iguais.
Contudo, a avó parecia conhecê-los como se fossem velhos
amigos.

– Que pequena beldade – disse ela, aproximando o anel
do olho para uma inspeção mais cuidada. – Este foi o primeiro
que roubei, era ainda garotinha.

Ben não conseguia imaginar a avó assim tão nova. Só
a tinha conhecido como uma senhora de idade. Até imaginava
que já tivesse nascido velhota. Que há muitos anos, no hospital
onde a mãe dela tinha dado à luz, se alguém tivesse perguntado
à parteira se era menino ou menina, a resposta tivesse sido:
«É uma velhota!»

– Cresci numa pequena aldeia e a minha família era muito pobre – continuou a avó. – E, no cimo do monte, havia uma grande casa de campo onde viviam uns senhores muito ricos, que eram condes. O Conde e a Condessa de Davenport. A guerra tinha acabado e nessa altura não havia muita comida. Eu tinha fome, por isso, uma noite, por volta da meia-noite, quando todos já estavam a dormir, saí à socapa. No meio da escuridão, fui pela floresta fora e subi o monte até à casa Davenport.

– Não tiveste medo? – perguntou Ben.

– É claro que tive. Foi terrível estar sozinha numa floresta escura à noite. A casa tinha cães de guarda. Grandes Doberman pretos. Fazendo o mínimo de barulho possível, trepei pelo cano e encontrei uma janela aberta. Aos 11 anos eu era uma rapariga pequena, muito pequena para a minha idade. Por isso, consegui enfiar-me pela pequena abertura da janela e aterrei atrás de uma cortina de veludo. Quando afastei a cortina, percebi que estava no quarto do Conde e da Condessa de Davenport.

– Oh, não! – exclamou Ben.

– Oh, sim – continuou a senhora. – Eu achava que ia só

roubar um pouco de comida, mas ao lado da cama estava esta preciosidade. – A avó apontou para o anel de diamante.

– Então, roubaste-o?

– Ser uma ladra internacional de joias nunca é assim tão simples, meu menino – disse a avó. – Os condes estavam a ressonar alto, mas, se eu os acordasse, sabia que era o meu fim. O Conde dormia sempre com uma caçadeira ao lado da cama.

– Uma caçadeira? – perguntou Ben.

– Sim, ele era um pedante, um vaidoso, e, por ser um vaidoso, gostava de caçar faisões, por isso, tinha muitas armas.

Ben já suava de tantos nervos.

– Mas ele não acordou e não te tentou matar, pois não?

– Calma, filho. Tudo a seu tempo. Fui pé ante pé até ao lado da cama da Condessa e peguei no anel de diamantes. Nem conseguia acreditar na sua beleza. Nunca antes tinha visto um anel de diamantes. A minha mãe nunca sonharia sequer usar um. «Não preciso de joias», dizia-nos ela quando éramos crianças. «*Vocês* são os meus pequenos diamantes.» Eu olhava abismada para o anel que tinha na mão, que era a coisa mais linda que tinha visto na vida. E, de repente, ouvi um barulho tremendo.

Ben franziu o sobrolho.

– E o que era?

– Era o Conde de Davenport, um homem grande, gordo e guloso. Devia ter comido demasiado ao jantar porque tinha dado um arroto enorme!

Ben riu-se e a avó também. Ele sabia que os arrotos não eram para ter graça, mas não se conseguiu conter.

– Foi tão alto! – disse a avó, continuando a rir.

– BBBBBBBBBBBBBUUUUUU UUUUUURRRRRRRRPPPPPP PPPPPP!!!!!!! – imitou ela.

Agora, Ben não conseguia parar de rir.

– Foi tão alto – continuou a avó – que me assustei e deixei cair o anel no chão de madeira. Fez um grande barulho quando bateu no soalho e tanto o Conde como a Condessa acordaram.

– Oh, não!

– Oh, sim! Peguei no anel e corri para a janela aberta. Nem me atrevi a olhar para trás porque ouvi o Conde a carregar a caçadeira. Saltei para a relva e, de repente, as luzes todas da casa acenderam-se. Os cães ladravam e eu corria pela minha vida. Então, ouvi um barulho ensurdecedor...

– Outro arroto? – perguntou Ben.

– Não, desta vez foi um tiro. O Conde de Davenport estava a disparar contra mim que já corria monte abaixo, de volta à floresta.

– E, depois, o que aconteceu?

A avó olhou para o pequeno relógio de ouro.

– Meu querido, é melhor voltares para casa. Os teus pais devem estar preocupadíssimos.

– Duvido – disse Ben. – Eles só se importam com as estúpidas danças de salão.

– Isso não é verdade – replicou, de súbito, a avó. – Tu sabes que eles gostam muito de ti.

– Quero ouvir o fim da história – disse Ben, frustrado, porque queria desesperadamente saber o que ia acontecer a seguir.

– E vais. Noutro dia.

– Mas avó...

– Ben, tens de ir para casa.

– Isso não é justo!

– Ben, tens de ir agora. Posso contar-te o que aconteceu noutro dia.

– Mas...

– Continua no próximo episódio... – disse ela.

11

Feijões gratinados com salsichas

Ben pegou na bicicleta e foi sempre a pedalar até casa, nem notando o quanto as pernas e o peito lhe doíam. Ia tão depressa que pensou que a polícia podia até multá-lo por excesso de velocidade. Enquanto as rodas giravam, também a mente dele andava à roda.

Poderia aquela avó velhinha e chata ser realmente uma ladra de joias?!

Ele tinha uma avó criminosa?!

Por isso é que ela gostava tanto de livros sobre mafiosos! Ora, se ela era um deles!

Ben entrou pela porta das traseiras a tempo de ouvir o tema musical do *Danças só com Estrelas* a bombar da sala de estar. Tinha chegado mesmo a tempo.

Quando se preparava para subir para o quarto e fingir que tinha estado a fazer os trabalhos de casa, a mãe entrou de rompante na cozinha.

– O que estás tu a fazer? – perguntou ela, desconfiada. – Parece que estás a suar muito.

– Oh, nada – respondeu Ben, sentindo-se muito suado.

– Deixa-me olhar para ti – continuou, aproximando-se dele. – Estás a suar que nem um porco.

Ben já tinha visto alguns porcos na vida, mas nunca nenhum a suar. De facto, qualquer fã de porcos sabe que os porcos nem sequer têm glândulas sudoríferas, portanto, não podem suar.

Uau, este livro é mesmo educativo.

– Não estou a suar – protestou Ben. Ser acusado de estar a suar fê-lo transpirar ainda mais.

– Estás a suar, *sim*. Andaste a correr lá fora?

– Não – respondeu um Ben muito suado.

– Ben, não me mintas, sou a tua mãe – disse ela, apontando para si própria e fazendo voar uma unha falsa.

As unhas falsas da mãe estavam sempre a cair. Certa vez, Ben tinha encontrado uma na Paelha Bolonhesa de micro-ondas.

– Se não foste correr, Ben, então porque estás a suar?

Ben tinha de pensar rapidamente. O tema musical do *Danças só com Estrelas* estava a chegar ao fim.

– Estava a dançar! – explodiu ele.

– A dançar? – A mãe não parecia lá muito convencida. Ben não era nenhum Flavio Flavioli. E também odiava danças de salão.

– Sim, mudei de ideias sobre as danças de salão. Adoro-as!

– Mas disseste que as odiavas – disparou ela, ainda mais desconfiada –, muitas e muitas vezes. Ainda na semana passada disseste que preferias «comer os macacos do nariz a ver aquela porcaria.» Foi como se me espetasses um punhal no coração.

A mãe parecia cada vez mais transtornada com o pensamento.

– Desculpa, mãe, a sério. – Ben esticou o braço para reconfortar a mãe e outra unha falsa caiu no chão. – Mas agora adoro, a sério. Estava só a ver o *Estrelas* pela frincha da porta e a imitar os passos de dança.

A mãe explodiu de orgulho. Era como se, de repente, a sua

vida fizesse sentido. A cara dela tornou-se estranhamente feliz, embora triste, como se à sua frente se abrisse o destino.

– Tu queres ser... – respirou fundo – um dançarino profissional?

– Onde estão os meus feijões gratinados com salsicha, mulher?! – gritou o pai da sala.

– Oh, está calado, Pete! – Os olhos da mãe estavam húmidos com lágrimas de felicidade.

A mãe não chorava assim desde o ano passado, quando Flavio fora expulso do programa ao fim da segunda semana. Flavio tinha sido obrigado a fazer par com a Rachel Prejudice, que era tão rechonchuda que tudo o que ele conseguia fazer era arrastá-la de um lado para o outro.

– Bem... hmm... aahh... – Ben procurava desesperadamente uma saída. – Sim.

Essa não era a saída.

– É assim mesmo! Eu sabia! – gritou a mãe. – Pete, vem cá num instante. O Ben tem uma coisa que te quer contar.

O pai arrastou-se para a cozinha.

– O que é, Ben? Não te vais juntar ao circo, não? Credo, estás mesmo suado.

– Não, Pete – disse a mãe, vagarosa e deliberadamente, tal como alguém prestes a ler o nome do vencedor numa cerimónia de prémios. – O Ben já não quer ser um parvo de um canalizador...

– Ai, graças a Deus! – disse o pai.

– Ele quer ser... – A mãe olhou para o filho. – Diz-lhe, Ben.

Ben abriu a boca, mas, antes que conseguisse dizer alguma coisa, a mãe intrometeu-se:

– O Ben quer ser um dançarino profissional!

– Ah! Afinal, Deus existe! – exclamou o pai, olhando para o teto manchado de nicotina como se estivesse a contemplar um ser divino.

– Ainda agora estava a praticar na cozinha – comentou excitadamente a mãe. – A imitar todos os passos de dança do programa...

O pai olhou o filho nos olhos e deu-lhe um aperto de mão à homem.

– Isso são ótimas notícias, filho! A tua mãe e eu não conseguimos muito com as nossas vidas. A tua mãe, a pintar unhas...

– Sou uma técnica profissional de manicura, Pete! – corrigiu a mãe desdenhosamente. – Sabes muito bem disso, Pete...

– Técnica profissional de manicura. Desculpa. E eu sou só um segurança sem graça, porque era demasiado gordo para entrar na polícia. O ponto alto do meu ano foi mandar parar um homem de cadeira de rodas que estava a fugir da loja com uma lata de leite condensado debaixo do cobertor. Mas tu, um dançarino de salão, bem... isto... isto é a melhor coisa que nos aconteceu.

– A melhor das melhores! – disse a mãe.

– A melhor da melhor das melhores – concordou o pai.

– A sério, é a melhor da melhor da melhor das melhores – retorquiu a mãe.

– Pronto, concordemos que é extremamente bom – rematou o pai, irritado. – Mas aviso-te, filho, não vai ser fácil. Se treinares oito horas por dia durante os próximos 20 anos, até és capaz de conseguir entrar no programa de TV.

– Se calhar, até consegue entrar na versão americana! – exclamou a mãe. – Oh, Pete, imagina, o nosso menino a tornar-se uma grande estrela na América!

– Bem, não vamos pôr a carroça à frente dos bois, mulher. Ele ainda não ganhou o programa britânico. Para começar, temos de pensar em inscrevê-lo num concurso júnior.

– Tens razão, Pete. A Gail disse-me que vai haver um na câmara municipal mesmo antes do Natal.

– Abre o champanhe, mulher! O nosso filho vai ser um campeão do chá-chá-chá.

Um palavrão explodiu na cabeça de Ben.
Um palavrão bem malcriado.
Como é que ele ia conseguir safar-se desta?!

12

A Bomba do Amor

A mãe passou a manhã inteira de domingo a tirar medidas para o fato de dança de Ben.

– ESTIVE A NOITE TODA ACORDADA A DESENHAR FATOS!

Sob coação, Ben tinha sido obrigado a escolher um, apontando frouxamente para aquele que lhe parecia ser o menos horrível.

As várias opções que a mãe tinha desenhado à mão iam desde a opção embaraçosa até à mais humilhante...

Ora vê na próxima página alguns exemplos inacreditáveis...

O Bosque

O Cocktail de Frutas

Raios e Trovões

Acidente e Emergência

Gelo e uma Fatia de Limão

Arbusto e Texugo

O Rebuçado de Caramelo

Ovos com Bacon

Confetes

O Mundo Subaquático

Amor Ardente

Queijo & Pickles

O Sistema Solar

Homem-piano

O que o Ben achou *menos* mal foi... a *Bomba do Amor*.

– Vamos ter de encontrar uma rapariguinha simpática para fazer par contigo no concurso! – disse excitadamente a mãe, passando sem querer uma das unhas falsas na máquina de costura e fazendo-a explodir.

Ben não tinha pensado num par de dança. Não só ia ter de dançar, como ia ter de dançar com uma rapariga! E não com uma rapariga qualquer, mas com uma rapariguinha irritante e precoce, coberta de brilhantes, bronzeado falso e maquilhagem a mais, daquelas que só usa fatos de *ballet*.

Ele ainda estava na idade em que achava as raparigas tão atraentes como girinos.

– Oh, prefiro dançar sozinho – balbuciou.

– Uma peça a solo! – exclamou a mãe. – Que original!

– Na verdade, não posso ficar aqui o dia todo a falar. É melhor ir treinar – disse Ben, desaparecendo para o quarto.

Fechou a porta, ligou o rádio e saiu pela janela. Montou na bicicleta e dirigiu-se rapidamente para casa da avó.

– Então, estavas tu a correr em direção à floresta, quando o Conde de Davenport começou a disparar contra ti… – incitava ansiosamente Ben.

Mas, de momento, a avó parecia ter a mente em branco.

– Estava? – disse ela, cada vez mais confusa.

– Foi assim que a história acabou ontem à noite. Tu disseste que roubaste o anel do quarto dos Davenport e estavas a fugir quando ouviste os tiros…

– Oh, sim, sim – murmurou a avó, com o rosto subitamente iluminado.

Ben fez um sorriso largo. De repente, lembrou-se de como

gostava que a avó lhe contasse histórias quando era mais novo, transportando-o para um mundo mágico. Um mundo onde se pintam quadros com a mente, quadros que são mais emocionantes do que todos os filmes, programas de TV ou videojogos do universo.

Ainda na semana passada tinha fingido estar a dormir para que a avó não lhe contasse uma história. Claramente tinha-se esquecido de quão emocionantes elas podiam ser.

– Eu corria e corria – continuou a avó, faltando-lhe o ar, quase como se estivesse mesmo a correr – e ouvi um tiro. E depois outro. Percebi pelo som que era mesmo uma caçadeira, e não uma espingarda.

– Qual é a diferença? – perguntou Ben.

– Bem, uma espingarda dispara uma bala e tem mais precisão. Uma caçadeira dispersa centenas de bolinhas de chumbo mortíferas. Qualquer idiota consegue atingir-te se disparar uma caçadeira na tua direção.

– E atingiu? – disse Ben. O sorriso tinha desaparecido, estava genuinamente preocupado.

– Sim, mas por sorte já estava longe e foi só de raspão.

Também conseguia ouvir os cães a ladrar. Eles estavam a caçar-me e eu era só uma menina pequena. Se me tivessem apanhado, os cães de caça tinham-me desfeito...

Ben susteve a respiração, horrorizado.

– Então, como conseguiste fugir? – perguntou ele.

– Corri um grande risco. Sabia que não ia conseguir correr mais rápido do que os cães na floresta. Nem o corredor mais rápido do mundo o conseguiria. Mas conhecia muito bem a floresta, costumava brincar lá com os meus irmãos e irmãs durante horas. E sabia que, se conseguisse atravessar o riacho, os cães perdiam-me o rasto.

– Porquê?

– Os cães não conseguem farejar rastos na água. E também havia um grande carvalho do outro lado do riacho. Se conseguisse trepar a essa árvore, podia-me safar.

Ben não conseguia imaginar a avó a subir escadas, quanto mais a uma árvore. Ela vivia naquela casa desde que ele se conseguia lembrar...

– Mais tiros foram disparados através da escuridão à medida que eu corria até ao riacho – continuou a senhora. – E tropecei no negrume da floresta. Prendi o pé na raiz de uma árvore e caí de cara na lama. Levantei-me muito aflita e vi o Conde de Davenport com um exército de homens a cavalo. Traziam tochas acesas e empunhavam caçadeiras. A floresta inteira ficou iluminada com o fogo das tochas. Saltei para o riacho. Era nesta altura do ano, o pico do inverno, e a água estava gelada. O meu corpo entrou em choque com o frio e eu quase não conseguia respirar. Tapei a boca com a mão para não gritar. Ouvia os cães a aproximarem-se cada vez mais, sempre a ladrar. Devia haver dúzias deles. Olhei para trás e vi-lhes os dentes afiados a brilharem ao luar. Atravessei o riacho com dificuldade e comecei a trepar à árvore. As minhas mãos estavam cheias de lama, tinha as pernas e os pés molhados e não conseguia parar de escorregar pelo tronco da árvore abaixo. Desesperadamente, limpei as mãos à minha camisa de noite, comecei a trepar outra vez, cheguei ao topo da árvore e fiquei o mais imóvel possível. Ouvi os cães e o exército de Davenport seguirem riacho abaixo para outra parte da floresta. Os latidos ferozes dos cães tornaram-se distantes e, passado algum tempo, as tochas eram pequenos pontos ao longe. Tinha-me safado. Durante horas, tremi no topo daquela árvore. Esperei até que amanhecesse e voltei a casa. Deitei-me na cama e deixei-me lá ficar até o sol nascer.

Ben conseguia imaginar tudo o que a avó tinha descrito na perfeição e estava completamente fascinado.

— Eles não foram à tua procura?

— Bom, ninguém me tinha conseguido ver bem, por isso, o Conde pediu aos homens dele para varrerem os quatro cantos da aldeia. Viraram todas as casas do avesso para ver se encontravam o anel.

— E tu não disseste nada?

— Eu queria dizer. Sentia-me tão culpada. Mas sabia que, se

admitisse, ia ficar num grande sarilho. O Conde de Davenport havia de se certificar de que eu seria açoitada em praça pública.

– Então, o que fizeste?

– Eu... engoli-o.

Ben não conseguia acreditar.

– O anel, avó? Engoliste o anel?

– Achei que era a melhor maneira de o esconder: na barriga. Uns dias depois, saiu, quando fui à casa de banho.

– Deve ter doído! – disse Ben, contraindo o rabiosque só de pensar. Um grande anel de diamantes a passar pelo rabiosque não lhe parecia nada agradável.

– Foi doloroso. De facto, foram dores lancinantes – acrescentou a avó, fazendo uma cara feia. – Pelo menos, já tinham revirado tudo dos pés à cabeça, lá em casa. Só não me tinham revirado a mim, claro.

Ben desatou a rir.

– E os homens de Davenport já tinham passado para a vila seguinte. Por isso, certa noite, fui para a floresta e escondi o anel. Pu-lo num sítio onde ninguém o poderia encontrar: debaixo de uma pedra no riacho.

– Que esperta! – disse Ben.

– Mas esse anel foi só o primeiro de muitos, Ben. Roubá-lo foi a coisa mais emocionante da minha vida. Todas as noites, deitada na cama, só conseguia pensar em roubar cada vez mais diamantes. Esse anel foi só o começo... – continuou a avó num sussurro, fitando os olhos jovens e inocentes de Ben... – de uma vida *inteira* de crime.

13

Uma vida de crime

As horas passavam, parecendo minutos, enquanto a avó contava ao neto como tinha roubado cada uma daquelas peças extraordinárias espalhadas pelo chão da sala.

Havia uma tiara enorme que tinha pertencido à esposa do presidente dos Estados Unidos da América, a primeira-dama. A avó contou a Ben como, há mais de 50 anos, tinha ido num navio de cruzeiro até à América, para a roubar da Casa Branca, em Washington. E como, na viagem de volta para casa, tinha roubado as joias de todas as senhoras ricas do navio! E como fora apanhada pelo capitão do navio, tendo de escapar mergulhando para a água e nadando os quilómetros de Oceano Atlântico que faltavam de volta a Inglaterra, com todas as joias entaladas nas cuecas.

A avó revelou a Ben que os brincos de esmeralda brilhantes que estavam na sua casa há décadas valiam mais de um milhão de euros cada. Em tempos, tinham pertencido à esposa de
um marajá extremamente rico, uma rainha indiana. A senhora
recordou como contou a ajuda de uma manada de elefantes
para os conseguir roubar.

Tinha conseguido convencer os elefantes a ficarem de pé uns em cima dos outros, formando uma escada gigante para que ela pudesse subir o muro do forte onde eles estavam guardados, no quarto real.

A história mais espantosa de todas foi a de quando a avó roubou o enorme alfinete azul de safiras e diamantes que agora brilhava na carpete gasta da sala. A avó contou a Ben que a peça tinha pertencido à última imperatriz da Rússia que governara com seu marido, o Czar, antes da revolução comunista de 1917. Durante muitos anos o alfinete tinha estado protegido por vidro à prova de bala no Museu Hermitage, em São Petersburgo, guardado 24 horas por dia, sete dias por semana, 365 dias por ano, por um exército de soldados russos assustadores.

Para este roubo a avó tinha precisado do plano mais elaborado de sempre. Escondera-se numa armadura antiga no museu, com centenas de anos, do tempo de Catarina, a Grande. De cada vez que os soldados olhavam para o lado oposto, a avó deslizava a armadura, um milímetro de cada vez, até estar suficientemente perto do alfinete. Demorou uma semana.

– Como o «macaquinho do chinês»? – perguntou Ben.

– Exatamente, rapaz! – respondeu a avó. – Depois, parti o vidro com o machado prateado da armadura e agarrei o alfinete.

– Como escapaste, avó?

– Isso é uma boa pergunta... bem, como é que eu escapei?

– A avó parecia desorientada. – Desculpa, é a idade, filho...
esqueço-me das coisas.

Ben sorriu, solidário.

– Não faz mal, avó.

De repente, a memória da senhora começou a voltar.

– Ah, sim, já me lembro – continuou ela. – Corri para
o pátio do museu, saltei para o cano do canhão, entrei lá para
dentro e disparei-me dali para fora!

Por momentos, Ben imaginou aquele cenário: a avó nos
confins da Rússia, voando pelo ar, vestindo uma armadura. Era
difícil de acreditar, mas de que outra forma podia aquela velhinha ter tamanha coleção de preciosidades de valor incalculável?

Ben adorava ouvir as histórias corajosas da avó. Em casa,
nunca ninguém lhe tinha lido ou contado histórias. Sempre
que chegavam a casa do trabalho, os pais de Ben ligavam logo
a televisão e afundavam-se no sofá. Ouvir a avó falar era tão
entusiasmante que Ben desejou poder morar com ela. Assim,
podia ficar a ouvir a avó o dia todo!

– Não deve haver uma joia no mundo que não tenhas roubado! – disse Ben.

– Há, sim, rapaz... Espera lá, o que é aquilo?

– O que é o quê? – perguntou Ben.

A avó apontava para trás da cabeça de Ben com uma expressão de horror estampada na cara.

– É... É...

– O quê? – disse Ben, não se atrevendo a virar-se para trás.

Um calafrio percorreu-lhe a espinha.

– Faças o que fizeres – disse a avó –, não olhes para trás...

14

Vizinho bisbilhoteiro

Ben não conseguiu resistir e os seus olhos dispararam em direção à janela. Por um momento, viu uma silhueta escura com um chapéu estranho a espreitar pela janela suja que, de repente, desapareceu de vista.

– Estava um homem a espreitar pela janela – disse Ben, sem fôlego.

– Eu sei – confirmou a avó. – Eu disse-te para não olhares.

– Achas que vá lá fora ver quem era? – perguntou Ben, tentando esconder o facto de estar muitíssimo assustado. Na verdade, ele queria era que fosse a avó a ir lá fora ver quem era.

– Aposto que era o sr. Parker, o meu vizinho bisbilhoteiro. Mora no número sete, usa sempre um chapéu de abas e passa a vida a espiar-me.

– Porquê? – perguntou Ben.

A avó encolheu os ombros.

– Não sei. Talvez porque tem frio na cabeça ou assim.

– O quê? – disse Ben. – Oh! Não, não estou a falar do chapéu. Quero dizer, porque estará ele sempre a espiar-te?

– É um major reformado e agora gere um grupo de vigilantes do bairro ou qualquer coisa do género, aqui em Grey Close.

– O que é um grupo de vigilantes? – perguntou Ben.

– É um grupo de pessoas que ficam atentas a ladrões no bairro. Mas o sr. Parker só usa isso como desculpa para espiar toda a gente, esse velho abelhudo. Muitas vezes venho do supermercado com os meus sacos de couves e lá está ele escondido atrás das cortinas de rede, espiando-me com binóculos.

– Achas que ele suspeita de ti? – perguntou Ben, entrando um pouco em pânico. Ben não queria ir para a prisão por ser cúmplice de um crime. Ele não sabia exatamente o que queria dizer «cúmplice», mas sabia que era crime, e sabia que era demasiado novo para ir para a prisão.

– Desconfia de toda a gente, este meu vizinho. Temos de andar de olho nele, rapaz. O homem é uma ameaça.

Ben foi até à janela e espreitou lá para fora. Não conseguia ver ninguém.

TTTTTTTTTTTRRRRRRRRRRRRRRRRRRRIIIIIIIIIIIIIII
MMMMMMMMMMMMMM!!!!!!!!!!!!!!!!!!!!!!!!

O coração de Ben deu um salto. Era só a campainha, mas se deixassem entrar o sr. Parker, ele ia ver todas aquelas provas e a polícia mandaria o Ben e a avó diretamente para a prisão.

– Não abras a porta! – gritou Ben, correndo para o meio da sala para esconder as joias na lata, o mais rápido que conseguia.

– Como assim, não abro a porta?! Ele sabe que estou em casa. Acabou de nos ver pela janela. Abre tu a porta e eu guardo as joias.

– Eu?

– Sim, tu! Rápido!

TTTTTTTTTTTTTTTTTTTTTTTTTTTTTTTTTTTT
RRRRRRRRRRRRRRRRRRRRRRRRRRRRIIIIIIIIIIIIIIIIIIIIIIIIII
IIMMMMMMMMMMMMMMMMMMMMMM!!!!!!!!!!!!!!!!!!!!!!!

O toque era agora mais persistente. O sr. Parker deixara o dedo na campainha durante mais tempo ainda. Ben respirou fundo e seguiu calmamente pelo corredor até à porta.

Abriu-a.

Lá fora estava um homem com um chapéu muito cómico.

Não acreditam? Ora vejam bem como o chapéu era cómico:

– Sim? – disse Ben, numa voz estridente. – Posso ajudar?

O sr. Parker pôs um pé dentro da casa para que Ben não conseguisse fechar a porta.

– Quem és tu? – rosnou, falando pelo nariz.

O sr. Parker tinha um nariz muito grande que o fazia parecer ainda mais abelhudo, e ele já metia de mais o nariz onde não era chamado. Por ter um nariz tão grande, também falava de forma nasalada, o que fazia com que tudo o que dizia parecesse um pouco absurdo, por mais sério que fosse. Mas tinha uns olhos que brilhavam como os de um demónio.

– Sou um amigo da avó – balbuciou Ben. *Porque é que eu disse isto?*, pensou. Na verdade, estava a entrar em pânico e a língua fugia-lhe tanto quanto ele queria fugir.

– Amigo? – grunhiu o sr. Parker, abrindo a porta. Ele era muito mais forte do que Ben e conseguiu entrar na casa à força.

– Quero dizer, neto, sr. Parker, senhor... – disse Ben, retrocedendo para a sala.

– Porque é que me estás a mentir? – perguntou o sr. Parker, dando vários passos à frente ao mesmo tempo que Ben dava vários passos para trás. Era como se estivessem a dançar um tango.

– Não estou a mentir! – exclamou Ben.

Chegaram à porta da sala.

– Não pode entrar! – gritou Ben, pensando nas joias todas espalhadas na carpete.

– Porque não?

– Hmm... Porque a avó está a fazer ioga sem roupa.

Ben precisava de uma desculpa dramática para impedir o sr. Parker de entrar de rompante na sala e apanhar as joias. Teve a certeza de que tinha acertado em cheio quando o sr. Parker parou e franziu o sobrolho.

– Ioga sem roupa?! Acho improvável! Preciso de falar com a tua avó imediatamente. Agora, sai-me da minha frente, seu miúdo sarnento – ordenou ele, empurrando o rapaz e abrindo a porta da sala.

A avó devia ter ouvido Ben porque, quando o sr. Parker irrompeu pela sala, ela estava só de sutiã e cuecas a fazer a posição da árvore.

– Sr. Parker, importa-se? – disse a avó, num horror fingido por ele a ter visto naqueles preparos.

Os olhos do sr. Parker percorreram a sala. Como não sabia para onde olhar, fitou a carpete vazia.

– Desculpe, minha senhora, mas preciso de lhe perguntar, onde estão as joias que vi há pouco?

Ben viu a lata de biscoitos do Jubileu de Prata a espreitar por detrás do sofá. Sorrateiramente, empurrou-a com o pé para longe da vista.

– Que joias, sr. Parker? Anda a espiar-me outra vez? – exigiu saber a avó, ainda de roupa interior.

– Bem, eu... hmm... – gaguejou ele – ... eu tinha um bom motivo. Fiquei desconfiado quando vi um jovem a entrar na sua propriedade. Pensei que fosse um ladrão.

– Deixei-o entrar pela porta da frente.

– Podia ser um ladrão muito charmoso. Podia ter-se aproveitado da sua boa vontade.

– É o meu neto. Fica cá todas as sextas à noite.

– Ah! – disse o sr. Parker, com ar triunfante. – Mas hoje não é sexta-feira! Portanto, deve compreender a minha desconfiança. Como responsável pelo grupo de vigilantes de Grey Close, tenho de denunciar qualquer atividade suspeita à polícia.

– Eu devia era denunciá-lo a si à polícia, sr. Parker! – disse Ben.

A avó olhou para o neto com curiosidade.

– E por que motivo, pode-se saber? – perguntou o homem.

Os olhos estreitaram-se. Estavam agora tão vermelhos que parecia que o seu cérebro estava a arder.

– Por espiar senhoras de idade em roupa interior! – disse Ben, agora ele com ar triunfante. A avó piscou-lhe o olho.

– Ela estava completamente vestida quando olhei pela janela... – protestou o sr. Parker.

– Isso é o que dizem todos! – contrapôs a avó. – Agora saia da minha casa antes que seja preso por ser um mirone!

– Não será a última vez que ouvirão falar de mim. Tenham um bom dia! – disse o sr. Parker. Com isto, deu meia volta e saiu da sala. Ben e a avó ouviram a porta a bater e correram até à janela para o verem voltar para sua casa.

– Acho que o assustámos bem – disse Ben.

– Mas ele vai voltar – comentou a avó. – Temos de ter muito cuidado.

– Sim – retorquiu Ben, um pouco alarmado. – É melhor esconder a lata noutro sítio.

A avó pensou por momentos.

– Sim, vou pô-la debaixo das tábuas do chão.

– OK – respondeu Ben. – Mas primeiro...

– Sim, Ben?

– É melhor vestires-te.

15

Destemido e empolgante

Depois de se ter vestido, a avó sentou-se no sofá com Ben.

– Avó, antes de o sr. Parker aparecer, estavas a contar que havia uma joia que nunca tinhas conseguido roubar – sussurrou Ben.

– Há sempre alguma coisa especial que todos os grandes ladrões gostariam de roubar, mas que é impossível. Simplesmente impossível.

– Aposto que tu conseguias, avó. Tu és a melhor ladra que alguma vez houve. És uma gângster!

– Obrigada, Ben. Talvez seja ou tenha sido… e roubar joias como estas até pode ser o sonho de qualquer ladrão, mas seria… bem… impossível.

– Joias? Há mais do que uma?

– Sim, meu querido. A última vez que alguém as tentou roubar foi há 300 anos. Um tipo chamado Capitão Blood, acho eu. E não creio que a Rainha ficasse muito feliz... – disse ela, a rir.

– Estás a falar das...?

– Das *Joias da Coroa*, sim, meu rapaz.

Ben tinha aprendido na aula de História tudo sobre as Joias da Coroa. Uma das poucas disciplinas de que Ben gostava era História, sobretudo por causa de todas as torturas sangrentas de antigamente. A sua favorita era «Enforcado, desmembrado e esquartejado», embora também gostasse da «Roda», da «Morte na fogueira» e, claro, do atiçador em brasas pelo rabiosque acima.

Afinal, quem é que não gosta destas coisas?

Na escola, Ben tinha aprendido que as Joias de Coroa eram de facto um conjunto de coroas, espadas, cetros, anéis, pulseiras e orbes, alguns com quase 1000 anos. Eram usadas de cada vez que algum rei ou rainha era coroado e, desde 1303 (o ano, não a hora) estavam fechadas a sete chaves na Torre de Londres.

Ben tinha suplicado aos pais para as ir ver, mas eles tinham-se queixado de que Londres era muito longe (mesmo que não fosse assim tão longe).

Na verdade, nunca iam a lado nenhum todos juntos, como uma família. Quando Ben era mais jovem, costumava ficar fascinado com as inúmeras aventuras que os colegas de escola contavam: viagens à beira-mar, visitas a museus e até férias no estrangeiro. Conseguia sentir o nó no estômago quando chegava a sua vez de falar. Tinha vergonha de admitir que tudo o que tinha feito nas férias tinha sido ver televisão e comer comida de micro-ondas, por isso inventava histórias de papagaios de papel, subidas a árvores e exploração de castelos.

Mas agora tinha a melhor aventura de todos os tempos. A avó dele era uma ladra de joias internacional. Uma criminosa! O problema era que, se ele contasse alguma coisa, a velha senhora seria mandada para a prisão e ficaria lá para sempre.

Ben chegou à conclusão de que era a sua oportunidade para fazer algo louco, imprudente e excitante.

– Eu posso ajudar-te – sugeriu ele calmamente, embora o seu coração batesse mais forte do que nunca.

– Ajudar-me com quê? – perguntou a senhora, um pouco espantada.

– A roubar as Joias da Coroa, claro! – respondeu Ben.

16

N-A-Ó-Til!

– Não! – gritou a avó, o seu aparelho auditivo apitando furiosamente.

– Sim! – gritou Ben.

– Não!

– Sim!

– Nããão!

– Siiiiimmm!

– NÃÃÃÃÃÃÃÃÃOOOOOOOOOOOOOOOOOOO
OOOOOOOOO!

– SIIIIIIIIIIIIIIIIIIIIIIIIIIIIIIIIIIIIIIMMMMMMMMMMMM
MMMMMM!

Isto ainda durou alguns minutos, mas para poupar papel – e portanto as árvores e portanto as florestas e portanto

122

o ambiente e portanto o planeta – tentei fazer uma versão curta.

– Nem penses que vou deixar um rapaz da tua idade vir comigo fazer um roubo! E logo as Joias da Coroa! E o mais importante é que nem é possível! Não se conseguem roubar! – exclamou a avó.

– Tem de haver uma forma… – suplicou Ben.

– Ben, eu disse *não* e acabou!

– Mas…

– Nem mas, nem meio mas, Ben. Não. N-A-Ó-Til!

Ben estava profundamente desiludido, mas a senhora não ia voltar atrás.

– Nesse caso, é melhor ir-me embora – disse ele, com ar deprimido.

A avó também parecia um pouco abatida.

– Sim, querido, é melhor ires, a mamã e o papá devem estar preocupados contigo.

– Não vão estar nada. Aposto que não…

– Ben! Para casa! Agora!

Ben lamentava que a avó estivesse a transformar-se outra vez num daqueles adultos chatos, logo agora que ela começava a ficar interessante. Mesmo assim, fez o que ela mandou. Fosse como fosse, não queria que os pais ficassem desconfiados, por isso foi rapidamente para casa, subiu pela caleira, entrou pela janela do quarto e desceu para a sala de estar.

Naturalmente, os pais de Ben não estavam minimamente preocupados com o seu paradeiro. Estavam demasiado ocupados a planear a ascensão do filho ao estrelato do mundo da dança para sequer repararem que ele saíra.

O pai tinha estado a ligar ininterruptamente para a linha-verde do concurso de dança nacional sub-12, até conseguir chamada e inscrever o filho. A mãe tinha razão, o concurso era na câmara municipal, daí a umas duas semanas. Não havia tempo a perder, por isso a mãe tinha gastado todos os minutos a fazer o fato do filho – *Bomba do Amor*.

– Como vão os ensaios, rapaz? – perguntou o pai. – Parece que suaste um pedaço.

– Bem, obrigado, pai – mentiu Ben. – Estou a preparar algo realmente espetacular para a grande noite.

Ben amaldiçoou a sua mania de falar de mais.

Algo espetacular?

Se não caísse e ficasse inconsciente, já era uma grande sorte!

– Bem, mal podemos esperar para ver! Já não falta muito! – disse a mãe, sem desviar o olhar da máquina de costura, onde cosia uma fila de centenas de corações brilhantes na parte lateral das calças de licra de Ben.

– Mãe, sabes... Gostava de ensaiar sozinho um bocadinho... – Ben engoliu em seco. – Até estar tudo direito e te poder mostrar.

– Sim, sim, nós compreendemos – disse a mãe.

Ben suspirou de alívio. Tinha conseguido safar-se por mais um tempo.

Mas só um bocadinho.

Daí a duas semanas Ben teria de dançar sozinho em frente à cidade toda.

Sentou-se na cama e tirou de lá de baixo a coleção do *Semanário de Canalização* que tinha escondido. Ao folhear uma edição do ano anterior, viu que havia um artigo chamado «Uma breve história da canalização» que abordava os sistemas de esgotos mais antigos de Londres. Ben virou rapidamente as páginas até o encontrar.

Eureka! Ali estava ele.

Há centenas de anos, o rio Tamisa (em cujas margens está situada a Torre de Londres) tinha sido um esgoto a céu aberto. (Em termos técnicos, isso quer dizer que o rio estava cheio de chichi e de cocó.)

Os prédios ao longo do rio tinham grandes canos que ligavam as sanitas diretamente ao rio. E havia diagramas históricos detalhados dos prédios famosos de Londres, mostrando onde os canos de esgoto antigos se ligavam ao rio.

E...

O dedo do Ben percorreu o artigo...

Sim! Um mapa dos canos de esgoto da Torre de Londres.

Aquilo podia ser a chave para roubar as Joias da Coroa. Um dos canos tinha quase um metro de largura, o que era suficientemente grande para uma criança lá caber. E talvez até uma velhinha!

O artigo também dizia que quando os sistemas de canalização e de esgotos foram modernizados, tinham deixado ficar para trás uma grande parte dos canos antigos, porque era mais simples do que estar a arrancá-los.

A cabeça de Ben desatou a andar à roda quando começou a pensar no que aquilo significava. Havia a possibilidade – uma pequena possibilidade – de ainda existir um enorme cano a ligar o rio Tamisa à Torre de Londres, e de que a maior parte das pessoas – (à exceção dos fanáticos da canalização) se tinham esquecido disso. O próprio Ben nem sequer o saberia se não fosse um assinante do *Semanário de Canalização*.

A avó e Ben podiam nadar cano acima e chegar à Torre... *A mãe e o pai estão errados!*, pensou ele. *A canalização pode ser emocionante.*

Claro que passar por um cano de esgoto não era o ideal, mas qualquer chichi ou cocó que lá houvesse teria centenas de anos.

Ben não sabia se isso era bom ou mau.

Naquele momento, ouviu o chiar das tábuas do chão e a porta do quarto abriu-se de rompante. A mãe entrou, mostrando um grande pedaço de licra abominável que seria o seu fato *Bomba do Amor*.

Ben escondeu a revista rapidamente debaixo da cama, o que fez com que parecesse extremamente culpado.

– Eu ia só pedir para experimentares isto – disse a mãe.

– Ah, sim – respondeu Ben, sentando-se desajeitadamente na cama e empurrando com os calcanhares as restantes edições do *Semanário de Canalização* para longe do olhar curioso da mãe.

– O que é isso? – disse ela. – O que é que escondeste quando eu entrei? Era alguma revista malandra?

– Não – respondeu Ben, engolindo a culpa. A situação parecia pior do que realmente era. Parecia que estava a esconder uma revista para adultos debaixo da cama.

– Não precisas de ter vergonha, Ben. Acho saudável que mostres o teu interesse por raparigas.

Oh, não!, pensou Ben. *A mãe vai falar-me de raparigas!*

– Não precisas de ter vergonha por te interessares por raparigas, Ben.

– Preciso, sim! As raparigas são nojentas!

– Não, Ben, é a coisa mais natural do mundo...

Ela não vai parar!

– O JANTAR ESTÁ QUASE PRONTO, QUERIDA!

– dizia o grito vindo do andar de baixo. – O QUE ESTÁS A FAZER AÍ EM CIMA?

– ESTOU A FALAR COM O BEN SOBRE RAPARIGAS! – gritou de volta a mãe.

Ben estava tão vermelho que, se abrisse um pouco mais a boca, podia ser confundido com um marco do correio.

129

– O QUÊ? – gritou o pai.

– RAPARIGAS! – gritou a mãe. – ESTOU A FALAR COM O NOSSO FILHO SOBRE RAPARIGAS!

– AH, ESTÁ BEM! – respondeu o pai aos berros. – VOU DESLIGAR O FORNO!

– Por isso, Ben, se alguma vez precisares...

TRIM TRIM TRIM TRIM TRIM

Era o telemóvel da mãe a tocar no bolso dela.

– Desculpa, querido – disse ela, pondo a mão sobre o auscultador. – Gail, posso ligar-te mais tarde? Estou só a falar com o Ben sobre raparigas. OK, obrigada, chau-chau.

A mãe desligou o telemóvel e voltou-se para Ben.

– Desculpa, onde é que nós íamos? Ah, sim, se algum dia quiseres ter uma conversa comigo sobre raparigas, por favor, está à vontade. Podes ter a certeza de que vou ser muito discreta...

17

Planeando o golpe

Na manhã seguinte, e pela primeira vez na vida, Ben foi para a escola a saltitar.

Graças ao seu amor pela canalização, Ben tinha descoberto, na noite anterior, o ponto fraco da Torre de Londres. O edifício mais impenetrável do mundo, o local onde alguns dos criminosos mais perigosos tinham sido presos e executados, sofria de um defeito fatal: um enorme cano de esgoto que desaguava diretamente no rio Tamisa.

Aquele tubo antigo seria a forma de Ben e a avó entrarem e saírem da Torre! Era um plano brilhante e o corpo de Ben não conseguia esconder a excitação perante aquela descoberta incrível. E era por isso que ele ia a saltitar para a escola.

Mal podia esperar por sexta-feira, quando a mãe e o pai

o mandassem para casa da avó outra vez. Nessa altura, podia convencer a senhora de que juntos poderiam realmente roubar as Joias da Coroa. Ben levaria o diagrama do *Semanário de Canalização* para mostrar à avó o sistema de esgotos da Torre de Londres. Os dois haviam de ficar a noite inteira acordados a analisar cada pormenor do maior golpe da história.

O único problema era a enorme semana de aulas, professores e TPC que o separavam de sexta-feira. No entanto, Ben estava determinado a usar sabiamente a semana que tinha de passar na escola.

Na aula de TIC, pesquisou «Joias da Coroa» e memorizou todos os detalhes que encontrou.

Em História, fez perguntas à professora sobre a Torre de Londres e a localização exata das joias. (Para os fãs de factos reais: chama-se Casa das Joias.)

Em Geografia encontrou um atlas das Ilhas Britânicas e assinalou o sítio exato da Torre no rio Tamisa.

Em Educação Física, não se «esqueceu», como de costume, do equipamento, e fez flexões extra para os braços ficarem fortes, de modo a conseguir içar-se pelo cano de esgoto que dava para a Torre.

Em Matemática, perguntou à professora quantos pacotes de caramelos se poderiam comprar com três milhões de euros (o valor estimado das Joias da Coroa). Os doces preferidos de Ben eram os caramelos.

A resposta é 10 mil milhões de pacotes de caramelos, ou 24 mil milhões de caramelos individuais. Isso é suficiente para um ano, no mínimo.

E de certeza que Raj incluiria uns quantos pacotes extra de graça.

Na aula de Francês, aprendeu a dizer:

– Não sei nada sobre o roubo das... como se diz... das «Joias da Coroa», sou só um pobre camponês francês – para o caso de ter de fingir que era um pobre camponês francês, de forma a escapar da cena do crime.

Na aula de Espanhol, aprendeu a dizer:

– Não sei nada sobre o roubo das... como se diz... das «Joias da Coroa», sou só um pobre camponês espanhol – para o caso de ter de fingir que era um pobre camponês espanhol, de forma a escapar da cena do crime.

Na aula de Alemão, aprendeu a dizer... Bem, acho que já perceberam a ideia.

Em Ciências, perguntou à professora como poderia perfurar vidro à prova de bala. Porque, mesmo que se conseguisse entrar na Casa das Joias, roubar as joias em si não ia ser fácil, pois elas eram guardadas por vidros à prova de bala.

Em Educação Visual, construiu um modelo à escala e muito detalhado da Torre de Londres, com fósforos, para poder fazer uma simulação em miniatura do roubo.

A escola nunca tinha sido tão divertida e a semana passou a voar. E o mais importante de tudo era que, pela primeira vez na vida, Ben não podia esperar para estar com a avó.

No final das aulas, na sexta-feira à tarde, Ben achava que já tinha os dados todos de que precisava para pôr o plano arrojado em prática.

A história do roubo das Joias da Coroa seria exibida na televisão durante semanas, por toda a Internet e escarrapachada em todas as primeiras páginas de todos os jornais de todos os países do mundo. Contudo, ninguém, mas mesmo ninguém, suspeitaria que os ladrões eram, de facto, uma velhinha e um rapaz de 11 anos. Eles iam conseguir safar-se com o maior golpe do século!

18

Hora de visita

– Não podes ficar em casa da avó hoje à noite – informou o pai. Eram 16h00 de sexta-feira e Ben tinha acabado de chegar a casa da escola. Era estranho o pai já estar em casa. Normalmente, não acabava o turno no supermercado antes das 20h00.

– Porque não? – perguntou Ben, reparando que a cara do pai estava branca de preocupação.

– Filho, desculpa, mas não tenho boas notícias...

– O que foi? – quis saber Ben, empalidecendo também.

– A avó está no hospital.

Pouco tempo depois, quando já tinham encontrado um lugar para estacionar, Ben e os pais cruzavam as portas automáticas do hospital. Ben temia que nem ele nem os pais conseguissem encontrar a avó ali dentro. O edifício do hospital era incrivelmente alto e largo: um grande monumento à doença. Havia elevadores que levavam a outros elevadores. Corredores com quilómetros de comprimento. Viam-se sinais por todo o lado que Ben não conseguia compreender:

UNIDADE DE CUIDADOS INTENSIVOS CO-RONÁRIOS
RADIOLOGIA
OBSTETRÍCIA
UNIDADE DE TRIAGEM CLÍNICA
SALA DE RESSONÂNCIA MAGNÉTICA

Pacientes com ar confuso e sentados em cadeiras de rodas eram empurrados por auxiliares, enquanto médicos e enfermeiros que pareciam não dormir há dias, andavam de um lado para o outro, apressados.

Quando chegaram finalmente à ala onde estava a avó, no 19.° andar, Ben não a reconheceu.

O cabelo da avó estava espalmado na cabeça, não tinha os óculos nem a dentadura postos e não estava a usar as roupas dela, mas uma bata de hospital. Era como se todas as coisas que faziam da avó a avó lhe tivessem sido tiradas e já não fosse a mesma.

Ben sentiu-se muito triste por vê-la assim, mas tentou esconder – não queria deixá-la triste também.

– Olá, meus queridos – disse ela. A voz estava rouca e a fala um pouco arrastada. Ben teve de respirar fundo para não desatar a chorar.

– Como se está a sentir, mãezinha? – perguntou o pai de Ben.

– Não muito bem – respondeu ela. – Caí.

– Caíste? – perguntou Ben.

– Sim, não me lembro muito bem. Estava a pegar numa lata de sopa de couve da despensa e, quando dei por mim, estava deitada no chão a olhar para o teto. A minha prima Edna ligou-me várias vezes do lar e, como eu não atendia, chamou uma ambulância.

– Quando é que caíste, avó? – perguntou Ben.

– Deixa cá ver… estive deitada no chão da cozinha durante dois dias, por isso, deve ter sido na quarta-feira de manhã. Não conseguia levantar-me e chegar ao telefone.

– Desculpe, mãezinha… – disse baixinho o pai. Ben nunca tinha visto o pai tão transtornado.

– Tem graça, porque eu ia ligar-lhe na quarta, sabe, só para conversar, saber como estava – mentiu a mãe. Ela nunca tinha ligado à velhota a vida toda e, se a avó ligasse lá para casa, ela despachava-a logo.

– Não tinhas forma de saber, querida – disse a avó. – Eles fizeram todo o tipo de testes para saber o que se passa: raios-X, TAC e assim. Recebo os resultados amanhã. Espero não ficar cá muito tempo…

– Eu também, avó – disse Ben.

Instalou-se um silêncio desconfortável.

Ninguém sabia exatamente o que dizer ou o que fazer.

Hesitante, a mãe olhou para o pai e fez de conta que olhava para o relógio.

Ben sabia que os hospitais deixavam a mãe desconfortável.

Alguns anos antes, quando ele tinha tirado o apêndice, a mãe só o tinha ido visitar umas duas vezes e mesmo assim suava por todos os lados e não conseguia ficar quieta.

– Bem, é melhor irmos – sugeriu o pai.

– Sim, sim, vão – disse a avó, com a voz ligeira, mas os olhos tristes. – Não se preocupem comigo, eu fico bem.

– Não podemos ficar mais um pouco? – perguntou Ben.

A mãe atirou-lhe um olhar angustiado, que o pai se apressou a conter.

– Não, anda lá, Ben, daqui a umas horas a avó precisa de ir dormir – disse o pai, levantando-se e preparando-se para sair.

– Ando muito atarefado, mãezinha, mas vou tentar dar cá um salto no fim de semana.

Deu umas palmadinhas na cabeça da mãe, tal como se faria a um cão. Foi um gesto esquisito, mas o pai de Ben não era de abraços.

O pai virou-se para sair, a mãe deu um sorriso mortiço, puxando um Ben contrariado pelo pulso.

Mais tarde, no seu quarto, Ben separou toda a informação que tinha recolhido na escola naquela semana.

Eles vão ver, avó, pensou ele ferozmente. *Vou fazê-lo por ti.*

Agora que a avó estava doente, Ben estava mais determinado do que nunca.

Tinha até ao jantar para planear o mais incrível roubo de joias da história.

19

Pequeno engenho explosivo

Na manhã seguinte, enquanto os pais de Ben ouviam música atrás de música, tentando encontrar a ideal para o concurso de dança, Ben saiu furtivamente de casa e foi de bicicleta até ao hospital.

Quando encontrou a ala da avó, viu um médico de óculos sentado na sua cama. Ainda assim, correu até junto dela para partilhar o plano.

O médico estava a segurar na mão da avó e a falar com ela calmamente.

– Ben, podes dar-nos um momento a sós, por favor? – pediu a avó. – Estamos a falar de... coisas de senhoras.

– Eh... Ah... está bem. – Ben voltou a atravessar a porta

e começou a folhear um número de uma revista que também tinha um ar adoentado...

O médico passou por ele e, antes de sair da ala, disse:

– Lamento muito.

Lamenta?, perguntou-se Ben. *Mas lamenta o quê?*

Hesitante, aproximou-se da cama da avó. A senhora estava a enxugar os olhos com um lenço e, ao ver Ben aproximar--se, parou e escondeu o lenço na manga da camisa de noite.

– Estás bem, avó? – perguntou Ben, suavemente.

– Sim, estou bem. É só um cisco no olho.

– Então, porque é que o médico me disse «lamento»?

Por momentos, a avó pareceu atrapalhada.

– Eh... Bem, imagino que tenha lamentado teres vindo aqui perder o teu tempo. Afinal, não há nada de errado comigo.

– A sério?

– Sim, o médico deu-me o resultado dos testes. Estou tão saudável como o cão de um talhante.

Ben nunca tinha ouvido aquela expressão, mas imaginou que significaria muito, muito saudável.

– Isso são ótimas notícias, avó! – exclamou Ben. – Bem, sei que já tinhas dito que não...

– Isso é o que eu estou a pensar, Ben? – perguntou a avó. Ben acenou com a cabeça.

– Mas eu disse-te tantas vezes que não...

– Sim, mas...

– Mas o quê, filho?

– Encontrei o ponto fraco da Torre de Londres. Passei a semana inteira a fazer um plano para podermos roubar as joias. Acho que é mesmo possível.

Para surpresa de Ben, a avó pareceu interessada.

– Fecha as cortinas e fala baixo – silvou a senhora, ajustando o aparelho auditivo para o volume máximo.

Rapidamente, Ben correu as cortinas à volta da cama da avó e sentou-se ao lado dela.

– Pronto, ao bater da meia-noite atravessamos o Tamisa a nado, usando um fato de mergulhador, até chegar ao cano de esgoto antigo, aqui – sussurrou Ben, mostrando-lhe o diagrama detalhado da edição antiga do *Semanário de Canalização*.

144

– Temos de nadar por um cano de esgoto?! Com a minha idade!? – espantou-se a avó. – Não sejas tonto, rapaz!

– *Chiu*, fala baixo – disse Ben.

– Desculpa – sussurrou a avó.

– E o plano não é tonto, é brilhante. O cano tem exatamente a largura ideal, repara...

A avó endireitou-se e observou mais de perto a página do *Semanário de Canalização*. Estudou o diagrama. Realmente, parecia ter largura suficiente.

– Portanto, se nadarmos pelo cano, conseguimos entrar na Torre sem sermos detetados – continuou Ben. – Em qualquer outro sítio do perímetro do edifício há guardas armados, câmaras de segurança e sensores de laser. Se escolhermos qualquer outra rota de entrada, não temos hipótese.

– Sim, sim, sim, mas como é que vamos conseguir entrar no sítio onde as joias estão guardadas, na Casa das Joias? – sussurrou ela.

– O cano de esgoto acaba aqui, na latrina.

– Desculpa?

– Na latrina. É uma palavra antiga para casa de banho.

– Ah, tens razão, pois é.

– Depois, da latrina, é uma corridinha...

– Um-um!

– Hum, queria dizer, são uns minutinhos a *andar* para chegar à Casa das Joias. É claro que, à noite, a porta da Casa das Joias está trancada e mais que trancada.

146

– Ou seja, não vai dar para abrir! – A avó não parecia muito convencida. Pois bem, Ben teria de a convencer!

– A porta é feita de aço reforçado, por isso temos de perfurar as fechaduras para conseguirmos abri-las...

– Mas, Ben, as coroas, os cetros e todas essas coisas devem estar atrás de vidro à prova de bala – disse a avó.

– Sim, mas o vidro não é à prova de *bomba*. Podemos detonar um pequeno engenho explosivo para quebrar o vidro.

– Um engenho explosivo?! – balbuciou a avó. – Onde é que vamos arranjar isso?

– Tirei uns produtos químicos da aula de ciências – respondeu Ben, com um risinho. – Tenho a certeza de que consigo criar uma explosão que seja capaz de destruir o vidro.

– Mas os guardas vão ouvir a explosão, Ben. Não, não, não! Desculpa, isso nunca vai resultar! – exclamou baixinho a avó.

– Bem, eu pensei nisso – disse Ben, feliz com a sua criatividade. – Nesse dia, terás de apanhar o comboio para Londres, fazendo o papel de uma velhinha querida...

– Eu *sou* uma velhinha querida! – protestou a avó.

147

– Sabes o que quero dizer – continuou Ben, com um sorriso. – Da estação, apanhas o autocarro 78 até à Torre de Londres. Depois, dás aos guardas da Torre bolo de chocolate com algo lá dentro que os vai pôr a dormir.

– Ah, podia usar o meu tónico especial de ervas para dormir! – disse a avó.

– Hmm, sim, ótimo – disse Ben. – Portanto, os guardas comem o bolo de chocolate e à meia-noite estão a dormir profundamente.

– Bolo de chocolate? – protestou a avó. – De certeza que os guardas preferiam o meu delicioso bolo de couve.

Receita da avó – BOLO DE COUVE

○ Usar seis couves grandes e bolorentas

○ Esmagar as couves com o acessório de fazer puré

○ Pôr o puré de couve num tabuleiro de ir forno

○ Cozer no forno até a casa inteira ficar a cheirar a couve

○ Esperar um mês até o bolo ficar rançoso

○ Cortar e servir (saco para vomitar é opcional)

– Hum… – Ben contorceu-se.

Não queria aborrecer a avó, mas ninguém se atreveria a comer uma fatia do bolo de couve da avó, a não ser que fosse um familiar direto dela – e mesmo assim provavelmente iria cuspi-la quando ela não estivesse a olhar.

– Acho que bolo de chocolate do supermercado era melhor.

– Bem, parece que pensaste em tudo. Estou muito impressionada, sabes? A ideia de usarmos aquele esgoto antigo é genial.

Ben ficou corado de tanto orgulho.

– Obrigado.

– Mas como é que descobriste isso? Não te ensinam essas coisas na escola, sobre canos de esgoto e isso, pois não?

– Não – disse Ben –, eu sempre adorei tudo sobre canalização. Lembrei-me que apareceu um artigo sobre esgotos antigos na minha revista preferida. – Ben mostrou o *Semanário de Canalização*. – O meu sonho é um dia ser canalizador.

Olhou para baixo, à espera que a avó lhe passasse um raspanete ou o gozasse.

– Porque é que estás a olhar para o chão? – perguntou a avó.

– Hum... eu sei que é parvo querer ser canalizador. Eu devia querer ser algo mais interessante.

Ben sentiu a cara a ficar vermelha.

A avó pôs a mão no queixo de Ben e levantou-lhe a cabeça carinhosamente.

– Nada que tu faças pode ser parvo, Ben. Se tu queres ser um canalizador e se esse for o teu sonho, ninguém to pode tirar, percebes? Tudo o que podes fazer nesta vida é seguir os teus sonhos. Caso contrário, estás só a perder o teu tempo.

– Sim... suponho que sim.

– Podes ter a certeza. Sinceramente! Tu dizes que ser um canalizador é parvo, mas aqui estás tu, a planear roubar as Joias da Coroa... E, meu Deus, tem tudo que ver com canalização!

Ben sorriu. Talvez a avó tivesse razão.

– Mas tenho uma pergunta para ti, Ben.

– Sim?

– Como é que saímos de lá? Um plano destes não serve de nada se formos apanhados em flagrante, meu querido.

– Eu sei, avó, por isso pensei que devemos sair pelo mesmo sítio por onde entrámos, pelo cano de esgoto, atravessando de novo o Tamisa. O rio só tem 50 metros de largura e eu já recebi o diploma de natação de 100 metros. Vai ser canja.

A avó mordeu o lábio. Obviamente não tinha a certeza de que iria ser canja, especialmente atravessar a nado e de noite um rio de correntes rápidas.

Ben olhou para a avó, cheio de esperança.

– Então, avó, alinhas? Ainda és a minha avozinha gângster?

Por momentos, a avó pareceu perdida nos seus pensamentos.

– Por favor? – suplicou Ben. – Tenho adorado ouvir as histórias das tuas aventuras e gostava mesmo de fazer um assalto contigo. E este seria o derradeiro assalto: roubar as Joias da Coroa. Tu própria disseste que era o sonho de todos os grandes ladrões. Então, avó? Alinhas?

A avó fitou os olhos brilhantes do neto. Depois de algum tempo, murmurou:

– Sim.

Ben saltou da cadeira e abraçou-a.

– Fantástico!

Levantando os braços fracos, a avó abraçou Ben com força. Era a primeira vez em anos que ela o abraçava verdadeiramente.

– Mas tenho uma condição – disse a senhora, com um olhar extremamente sério.

– O quê? – sussurrou Ben.

– No dia seguinte voltamos lá e pomos as joias no sítio.

20

Pum pum pum

Ben não conseguia acreditar no que a avó acabara de dizer. Nem conseguia pensar que ia arriscar roubar as Joias da Coroa para as devolver na noite seguinte.

– Mas elas devem valer milhões, milhares de milhões até... – queixou-se Ben.

– Eu sei, por isso de certeza que íamos ser apanhados se as tentássemos vender – respondeu a avó.

– Mas...!

– Nem mas nem meio mas, rapaz. Vamos lá pô-las na noite seguinte. Sabes como evitei ir para a prisão ao longo destes anos? Nunca vendi nada. Só roubava pela pica que dava.

– Mas, mesmo assim, guardaste as joias. Mesmo que não as tenhas vendido, tens aquelas joias todas na lata dos biscoitos.

A avó piscou os olhos e disse.

– Bem, eu era jovem e tola naquela altura. Desde então, aprendi que roubar é errado. E tu também precisas de aprender isso – disse a avó com um olhar muito sério.

Ben encolheu-se.

– Eu percebo, claro que percebo.

– O plano que arranjaste é brilhante, Ben, a sério. Mas aquelas joias não nos pertencem, certo?

– Não – concordou Ben. – Não nos pertencem...

Ben sentia-se um bocadinho envergonhado por se ter indignado com a ideia de devolver as joias.

– E não te esqueças de que todos os polícias do país e talvez do mundo vão estar à procura das Joias da Coroa. Vem tudo atrás de nós. Se nos encontrassem, punham-nos na prisão para o resto das nossas vidas. Isso para mim nem era muito, mas para ti ainda eram 70 ou 80 anos.

– Tens razão – disse Ben.

– E a Rainha parece uma senhora tão simpática. Nós temos mais ou menos a mesma idade e não queria nada aborrecê-la.

– Nem eu – murmurou Ben. Ele já tinha visto a Rainha

nas notícias montes de vezes e ela realmente parecia uma senhora muito simpática, sorrindo e acenando para toda a gente.

– Pronto, roubamos só pela emoção, combinado?

– Combinado! – disse Ben. – Quando é que vamos? Tem
de ser uma sexta-feira à noite, quando os pais me deixarem em
tua casa. O médico disse-te quando saías do hospital?

– Hmm… Ah, sim, disse… ele disse que podia sair em
qualquer altura.

– Ótimo!

– Mas temos de fazê-lo em breve. Que tal na próxima sexta?

– Isso não é muito cedo?

– Qual quê…! O teu plano está mesmo muito bem pensado, Ben.

– Obrigado – respondeu Ben, radiante. Era a primeira vez
que sentia que um adulto estava orgulhoso dele.

– Quando sair daqui, vou arranjar o equipamento de que
precisamos. Agora, vai lá, Ben, e vemo-nos na próxima sexta
à hora do costume.

Ben voltou a abrir a cortina. O vizinho abelhudo da avó,
o sr. Parker, estava mesmo ali!

Perplexo, Ben deu uns passos até à cama e escondeu o *Semanário de Canalização* debaixo da camisola.

– O que é que o *senhor* está aqui a fazer? – perguntou Ben.

– Queria ver-me a tomar um banho de esponja, de certeza! – disse a avó.

Ben deu uma risada.

O sr. Parker nem conseguia encontrar as palavras certas.

– Não, não, eu...

– Sra. Enfermeira! SRA. ENFERMEIRA! – gritou a avó.

– Espere! – disse o sr. Parker, em pânico. – Tenho a certeza de que vos ouvi a falar das Joias da Coroa...

Era demasiado tarde. A enfermeira-chefe (uma senhora anormalmente alta com pés enormes) já vinha rapidamente a caminho pelo corredor fora.

– Sim? – perguntou a enfermeira. – Passa-se alguma coisa?

– Este homem estava a espiar-me pelas cortinas! – respondeu a avó.

– Isso é verdade? – perguntou a enfermeira, arregalando os olhos ao sr. Parker.

– Bem... eu ouvi que eles iam... – queixou-se o sr. Parker.

– Na semana passada ele estava a espiar a minha avó enquanto ela fazia ioga sem roupa – interrompeu Ben.

A cara da enfermeira ficou vermelha de horror.

– Saia imediatamente da minha enfermaria, seu porco nojento! – gritou ela.

Completamente humilhado, o sr. Parker afastou-se da enfermeira e apressou-se a sair da enfermaria. Parou à porta e gritou para a avó e para Ben.

– NÃO FOI A ÚLTIMA VEZ QUE OUVIRAM FALAR DE MIM!

– Avise-me se este homem voltar, por favor – disse a enfermeira, com a cara já com a sua cor normal.

– Aviso, sim – respondeu a avó, antes de a enfermeira regressar às suas tarefas.

– Ele pode ter ouvido tudo! – silvou Ben.

– Talvez – respondeu a avó. – Mas eu acho que a enfermeira o assustou tanto que ele não vai voltar.

– Espero bem que não. – Ben estava preocupado com aquele desenvolvimento inesperado das coisas.

– Queres ir para a frente com isto, mesmo assim? – perguntou a senhora.

Ben estava com aquela sensação de quem vai numa montanha-russa a subir lentamente os carris. Tanto queremos sair, como queremos ficar.

Medo e alegria, tudo misturado numa só emoção.

– Sim! – disse ele.

– Ena! – disse a avó, sorrindo largamente a Ben.

Ben preparou-se para sair e virou-se para a avó.

– Eu... eu adoro-te, avó – disse ele.

– E eu também te adoro, querido Benny – replicou a avó, piscando o olho.

Ben contraiu-se todo. Ele agora tinha uma avó criminosa e isso era ótimo, mas ia ter de a ensinar a chamar-lhe apenas Ben!

Ben correu pelos corredores, o coração batendo descontroladamente.

Pum pum pum.

Ben estava elétrico de tanta excitação. Aquele rapaz de 11 anos, que nunca tinha feito nada de extraordinário na vida (exceto vomitar na cabeça de um amigo, enquanto andavam na roda gigante na feira popular) ia agora participar no roubo mais ousado que o mundo alguma vez tinha visto.

Ben correu para fora do hospital e estava à procura das chaves para abrir o cadeado da bicicleta quando viu algo incrível.

Era a avó.

Isso, só por si, não era estranho.

Mas isto era:

A avó estava a descer pela parede do hospital. Tinha atado uma série de lençóis e estava a descer rapidamente pela parede lateral do edifício.

Ben não conseguia acreditar no que estava a ver. Ele sabia que a avó era uma criminosa a sério, mas isto era de mais!

– Avó, o que é que estás a fazer?! – gritou Ben do outro lado do parque de estacionamento.

– O elevador não estava a funcionar, querido! Até sexta! Não te atrases! – gritou ela, à medida que chegava ao chão, saltava para a *scooter* e saía de lá a todo gás...

Bem, a meio gás.

Nunca uma semana tinha passado tão devagar.

Ben tinha esperado a semana toda por sexta-feira. Cada minuto, cada hora, cada dia pareciam uma eternidade.

Era estranho ter de fingir que era um rapaz normal, quando na verdade era um dos maiores criminosos de todos os tempos!

Sexta-feira chegou, finalmente. Os pais de Ben bateram à porta do quarto dele.

PUM PUM PUM.

– Ben, estás pronto, filho? – perguntou o pai.

– Sim – respondeu Ben, tentando parecer o mais inocente possível, o que é extremamente difícil de fazer quando se está carregado de culpa. – Não precisas de me ir buscar muito cedo amanhã de manhã. Eu e avó costumamos ficar a jogar *Scrabble* até tarde.

– Não vais jogar *Scrabble*, filho – disse o pai.

– Não?

– Não, filho. Não vais para casa da avó hoje à noite.

– Oh, não! – disse Ben. – Ela está outra vez no hospital?

– Não, não está.

Ben respirou de alívio e sentiu um formigueiro de ansiedade.

– Então, porque é que não vou para casa dela?

O plano estava a postos, não havia tempo a perder!

– Porque – disse o pai – hoje à noite é o concurso de dança sub-12. Finalmente chegou o momento de brilhares!

21

Sapato de sapateado

Ben estava sentado em silêncio no banco de trás do carro, vestindo o seu fato *Bomba do Amor*.

– Espero que não te tenhas esquecido de que era hoje o concurso, Ben – disse a mãe, enquanto retocava a maquilhagem, espalhando o batom pela cara quando deram uma curva apertada.

– Não, claro que não, mãe.

– Não te preocupes, filho – continuou o pai, orgulhoso de estar a iniciar o filho na imortalidade das competições de dança. – Tens treinado tanto no quarto que tenho a certeza de que vais ter a nota máxima de todos os jurados. Tudo pontuações de nível 10.

– E a avó? Ela não vai estar à minha espera? – perguntou ansiosamente Ben.

Aquela era a noite em que era suposto roubarem as Joias da Coroa, mas, em vez disso, Ben estava a caminho do concurso de dança, apesar de nunca ter dançado na vida.

Nas últimas duas semanas, Ben tinha evitado pensar no concurso de dança, mas agora tinha chegado o momento de dançar.

Ia mesmo acontecer.

Ia ter de dançar uma dança a solo.

Dança essa que não tinha preparado.

Em frente a um auditório cheio de pessoas...

– Oh, não te preocupes com a avó. Ela nem sabe que dia é! – disse a mãe, rindo-se e espalhando rímel pela cara, quando o carro travou subitamente num sinal vermelho.

Chegaram à câmara municipal. Ben viu o rio multicolorido de pessoas vestidas de licra a entrar para o edifício.

Se descobrissem na escola que ele tinha entrado no concurso, nunca se iriam esquecer. Os fanfarrões teriam toda a licença que precisavam para fazer a vida dele um inferno para sempre. E, para piorar as coisas, ele nem tinha ensaiado a dança. Nem uma única vez. Não fazia a mínima ideia do que iria fazer naquele palco.

Aquele concurso tinha como objetivo encontrar os melhores dançarinos infantis da localidade. Havia um prémio para o melhor par, para o melhor solo feminino e para o melhor solo masculino.

Se ganhasse, teria a oportunidade de competir para os distritais e, se ganhasse os distritais, poderia competir para os nacionais.

Este seria o primeiro passo para o estrelato internacional de dança. E o apresentador da noite era, nada mais nada menos do que o quebra-corações e favorito da sua mãe – Flavio Flavioli.

– É fantástico ver tantas senhoras lindas aqui, esta noite – ronronou Flavio, no seu sotaque italiano.

Na vida real, Flavio ainda brilhava mais. O cabelo dele estava todo lambido para trás, os dentes eram de um branco ofuscante e o seu fato era tão justo como película aderente.

– E agora, estamos todos prontos para a rumba?

A multidão gritou:

– Sim!

– O Flavio não vos consegue ouvir. Eu disse: estamos todos prontos para a rumba?

– SIM! – gritaram todos outra vez, um pouco mais alto, desta vez.

Ben estava a ouvir tudo nervosamente nos bastidores. Ouviu uma mulher a guinchar:

– Adoro-te, Flavio!

Parecia mesmo a sua mãe!

Ben olhou para as pessoas nos camarins. Bem podia ser uma convenção das crianças mais irritantes do mundo. Pareciam irritantemente precoces, enfeitadas com aqueles fatos de licra de cores gritantes, lambuzadas de bronzeado falso e com uns dentes de um branco tão forte que podia ser visto do espaço.

Ben olhou ansiosamente para o relógio, sabendo que iria atrasar-se imenso para se encontrar com a avó. Esperou e tornou a esperar enquanto os jovens carregados de maquilhagem dançavam o *quickstep*, o *jive*, a valsa, a valsa vienense, o tango, o *foxtrot* e o chá-chá-chá.

Finalmente, chegou a vez de Ben. Ele esperava nas alas do palco enquanto Flavio anunciava o nome dele.

– Agora chegou a vez de um rapaz aqui da terra nos encantar com a sua peça de dança a solo. Uma salva de palmas para o Ben, por favor!

Flavio deslizou para fora do palco enquanto Ben se arrastou para o palco, com o fato de licra *Bomba do Amor* desconfortavelmente enfiado no rabiosque.

Ben estava sozinho no centro do palco. Um holofote iluminava-o. A música começou a tocar. E ele rezava para que qualquer coisa acontecesse que lhe permitisse escapar àquilo. Ficaria grato por qualquer coisa, incluindo:

Um alarme de incêndio

Um terramoto

A Terceira Guerra Mundial

Outra Idade do Gelo

Um meteoro vindo do espaço que batesse na Terra e a atirasse para fora do seu eixo

Um maremoto

Centenas de *zombies* canibais a atacarem o Flavio Flavioli

Um furacão ou um tornado (Ben não sabia bem qual a diferença entre os dois, mas qualquer um servia)

Ben ser raptado por extraterrestres, não podendo regressar à Terra durante milhares de anos

Dinossauros a regressarem à Terra através de um portal espácio-temporal, esmagando o telhado do auditório e devorando todas as pessoas lá dentro

A erupção de um vulcão, apesar de infelizmente não haver vulcões por perto

Um ataque de lesmas gigantes

Um ataque de lesmas de tamanho médio também servia

Ben não era esquisito, qualquer uma das hipóteses serviria. A música estava a tocar e Ben reparou que ainda não se tinha mexido. Olhou para os pais, radiantes, vendo o filho único finalmente ao centro do palco.

Observou a lateral do palco e um Flavio sorridente atirava-lhe um sorriso encorajador.

Por favor, que o chão se abra por baixo de mim...

Não abriu.

Não havia outra hipótese a não ser fazer alguma coisa. Qualquer coisa.

Ben começou a mexer as pernas, depois os braços e a cabeça. Nenhuma destas partes do seu corpo se mexia em ritmo ou sequência e, nos cinco minutos que se seguiram, Ben mexeu o seu corpo num estilo que só podia ser chamado de *inesquecível*: por muito que alguém o quisesse esquecer, não conseguiria.

No final da música, Ben tentou fazer um salto e aterrou no chão com um baque. Fez-se silêncio. *Um silêncio ensurdecedor.*

Nessa altura, Ben começou a ouvir alguém a bater palmas.

Olhou para cima.

Era a mãe.

Depois, outra pessoa a bater palmas.

Era o pai.

Por uns segundos, pensou que podia ser um daqueles

momentos que se vê nos filmes onde um pobre coitado consegue triunfar apesar das adversidades: as pessoas levantavam-se
e começavam a aplaudir entusiasticamente aquele rapazinho
que tinha finalmente deixado os pais orgulhosos e, ao mesmo
tempo, reinventado o conceito de dança.

Fim.

Mas, não. Não foi isso que aconteceu.

Passados alguns momentos, os pais de Ben ficaram tão envergonhados por serem os únicos a aplaudir que acabaram por
parar.

Flavio voltou ao palco.

– Bem, isso foi... – Pela primeira vez o quebra-corações
italiano não tinha palavras. – Senhores jurados, podemos ter
a pontuação para o Ben, por favor?

– Zero – disse o primeiro.

– Zero.

– Zero.

Só faltava um jurado. Será que Ben ia ter tudo zeros?

O último jurado deve ter tido pena do rapazinho todo
suado que tinha acabado de envergonhar a sua família por

muitas gerações seguintes com aquela mostra de falta de talento. Por isso, pegou na placa de pontuação debaixo da mesa.

– Um – anunciou.

Ouviram-se muitos apupos e assobios da plateia, por isso, corrigiu a pontuação.

– Peço desculpa, queria dizer zero – disse, mostrando a placa que tinha escolhido inicialmente.

– Bem, uma pontuação muito desapontante por parte do júri – comentou Flavio, tentando sorrir. – Mas, jovem Ben, nem tudo está perdido. Visto que é o único candidato masculino na categoria a solo, você é o vencedor. Tenho aqui para lhe oferecer uma estatueta em plástico puro.

Flavio pegou no troféu rasca, que retratava um rapaz a dançar, e ofereceu-o a Ben.

– Senhoras e senhores, meninos e meninas, uma salva de palmas para Ben!

Silêncio outra vez. Nem a mãe nem o pai de Ben se atreveram a bater palmas.

Recomeçaram os apupos, os assobios e as pessoas gritavam:

«VERGONHA!», «NÃO!», «FOI FEITO, O RESUL-
TADO FOI COMBINADO!»

O sorriso de Flavio começou a desvanecer-se. Baixou-se
e sussurrou a Ben.

– É melhor saíres daqui, senão ainda és linchado!

Naquele preciso momento, um sapato de sapateado foi
lançado das últimas filas da plateia, voando pelo ar. Provavelmente, o objetivo era atingir Ben, mas, em vez disso, atingiu
Flavio mesmo entre os olhos, deixando-o inconsciente.

Está na altura de fazer uma vénia e sair de fininho, pensou Ben.

22

Linchamento de licra

Uma multidão furiosa de entusiastas das danças de salão corria atrás do pequeno carro castanho. Olhando pela janela traseira, Ben pensou que aquela deveria ser a única vez na história em que uma multidão de linchadores estava completamente vestida de licra.

O pai carregou no acelerador.

VVVVVVVVVVVVVVVVVVVVVVV VVVVVVVVVVVRRRRRRRRRRRRRRRR RRRRRRRRUUUUUUUUUUUUUUUU UUUUUUUUUUMMMMMMMMMMMM MMMMMMM!

O carro dobrou a esquina e a multidão ficou para trás.

– Graças a Deus que eu estava lá para dar o «beijo da vida» ao Flavio! – disse a mãe, do banco da frente.

– Ele ficou só inconsciente, mãe. Não tinha deixado de respirar – contrapôs Ben, do banco de trás.

– Todo o cuidado é pouco – respondeu a mãe, voltando a pôr batom. A maior parte do batom que tinha posto tinha ficado na cara e no pescoço de Flavio.

– Numa palavra, a tua atuação foi horrível e embaraçosa – referiu o pai.

– Isso são duas palavras – corrigiu Ben, com um risinho.

– Aliás, três se contares com o «e».

– Não te armes em espertinho, rapaz – rosnou o pai. – Isto não é para rir. Eu tive vergonha de ti. *Vergonha.*

– Sim, vergonha – murmurou a mãe.

Ben dava tudo para poder desaparecer. Dava o passado e o futuro, só para não ter de estar no banco de trás do carro dos pais naquele momento.

– Desculpa, mãe – disse Ben. – Quero que fiques orgulhosa de mim, a sério.

E era verdade: envergonhar os pais era a última coisa que queria, mesmo que às vezes os achasse estúpidos.

– Pois tens uma maneira estranha de o mostrar – disse a mãe.

– Eu só não gosto de dançar, mais nada.

– Não é isso que está em causa. A tua mãe passou horas a fio a fazer o teu fato – disse o pai.

É estranho como os pais, quando estão chateados, dizem a *tua* mãe ou o *teu* pai em vez de só *a mãe* e *o pai*.

– Não te esforçaste nem um bocadinho – continuou o pai.

– Acho que não deves ter ensaiado uma única vez. Nem uma. A tua mãe e eu trabalhámos dia e noite para te dar as oportunidades que nunca tivemos e é assim que nos pagas...

– Com desprezo – disse a mãe.

– Desprezo – ecoou o pai.

Ben deixou cair pela face uma única lágrima e apanhou-a com a língua. Tinha um sabor amargo. Os três seguiram para casa em silêncio.

Enquanto saíam do carro e entravam em casa, ninguém falou. Mal o pai abriu a porta de casa, Ben saiu disparado para o quarto e bateu com a porta. Sentou-se na cama, ainda vestindo o seu fato *Bomba do Amor*.

Ben nunca se tinha sentido tão só. E estava mesmo atrasado para se encontrar com a avó. Não só tinha deixado ficar mal os pais, como tinha deixado ficar mal a pessoa que aprendera a amar mais do que qualquer outra – a avó.

Agora, nunca iriam roubar as Joias da Coroa.

Nesse preciso momento, ouviu um pequeno toque na janela. Era a avó.

Estava vestida com o fato de mergulhador e tinha subido a uma escada para conseguir chegar à janela do neto.

– Deixa-me entrar! – disse ela, sem articular qualquer som.

Ben não conseguia deixar de sorrir. Abriu a janela e arrastou a senhora para dentro do quarto, como um pescador faria para transportar um grande peixe para o seu barco.

– Estás muito atrasado – admoestou a avó, enquanto Ben a ajudava a chegar à cama.

– Eu sei, desculpa – disse Ben.

– Combinámos às 19h30 e são agora 22h30. O tónico

para adormecer que dei aos guardas deve estar quase a perder o efeito.

– Desculpa, avó, a sério, é uma história complicada.

A avó sentou-se na cama de Ben e olhou-o de cima a baixo.

– E porque é que estás vestido como um cartão de Dia dos Namorados anormal? – perguntou ela.

– É como disse, é complicado...

Era um bocado parvo a avó criticar a roupa de Ben, tendo em conta que ela própria estava vestida com um fato de mergulhador e máscara, mas não era altura para falar do assunto.

– Rápido, rapaz, veste este fato de mergulho e vai ter comigo lá abaixo. Eu vou aquecendo o motor da mota.

– Vamos mesmo roubar as Joias da Coroa, avó?

– Bem, pelo menos vamos tentar! – respondeu a senhora com um sorriso.

23

Apanhados pela bófia

Com a avó a conduzir e Ben agarrado a ela, eles zuniam pela rua fora. Estavam os dois vestidos com fatos e máscaras de mergulho e a carteira da avó, embrulhada em quilómetros de película aderente, seguia no cesto da motinha.

A avó viu Raj a fechar a sua loja.

– Olá, Raj! Querido, não te esqueças de guardar uns pacotes de rebuçados da tosse para segunda-feira! – gritou ela.

Raj ficou a olhar para os dois de boca aberta, em estado de choque.

– Não sei o que se passa com ele. Normalmente fala tanto!

A viagem até Londres era longa, sobretudo se se seguisse numa motorizada cuja velocidade máxima é de quatro quilómetros por hora (com dois passageiros).

MUDANÇ

Depois de algum tempo, Ben reparou que a estrada estava a ficar cada vez mais larga: duas faixas e depois, três faixas.

– Caraças! Estamos na autoestrada! – gritou Ben, agarrado às costas da avó, enquanto camiões de 10 toneladas passavam por eles a toda a velocidade, quase atirando a motinha para fora da estrada.

– Tu não devias dizer asneiras, meu menino – disse a avó.

– Prego a fundo! Agarra-te!

Um momento depois, um camião-cisterna enorme passou a centímetros das suas cabeças e apitou a buzina.

– Raispartinha – disse a avó.

– Avó! – exclamou Ben, chocado.

– Ups, saiu-me! – disse a avó. Os adultos *nunca* dão o exemplo.

– Desculpa, avó, mas eu acho que isto não pode andar na autoestrada – gritou Ben. Um camião ainda maior passou a rugir por eles. Ben conseguia sentir as rodas da motinha a levantarem-se do chão por momentos, por efeito do vento produzido pelo movimento do camião.

– Vou sair na próxima – disse a avó. Contudo, antes de conseguir, luzes azuis começaram a rodar atrás deles. – Oh, não, é a bófia! Deixa ver se os consigo despistar. – A avó carregou no acelerador e a motinha começou a andar a... quatro quilómetros por hora.

O carro da polícia seguia mesmo ao lado deles e o polícia gesticulava, zangado, ordenando-lhes que encostassem.

– Avó, é melhor encostares. Estamos feitos – disse Ben.

– Eu trato disto, filho.

A avó parou a motinha na berma e o carro da polícia travou à frente deles, bloqueando qualquer hipótese de fuga. Era um carro grande, o que fez com que a motinha parecesse

pequenina, tal como uma pessoa alta faz um anão parecer...
bem... pequenino.

– Este veículo é seu, minha senhora? – perguntou o polícia, que era um homem gordo e tinha um pequeno bigode, tornando-lhe a cara ainda mais gorda. Além disso, tinha ar de convencido, o que levava a crer que aquilo de que ele mais gostava era de ralhar com as pessoas. A seguir aos *donuts*, claro.

O crachá dele dizia: Sargento Fudge.

– Há algum problema, senhor agente? – perguntou inocentemente a avó, com a máscara um pouco embaciada de tanta excitação.

– Sim, há um problema. Usar uma *scooter* de mobilidade numa autoestrada é estritamente proibido – informou o agente num tom condescendente.

(Outros meios de transporte que são proibidos numa autoestrada:

Prancha de Skate

Canoa

Patins

Burro

Carrinho de compras

Monociclo

Trenó

Riquexó

Camelo

Tapete voador

Avestruz)

– Bem, muito obrigada por nos avisar, senhor agente. Da próxima vez, não me esqueço. Agora, se não se importa, estamos um pouco atrasados. Adeus! – disse alegremente a avó, enquanto voltava a ligar a motinha.

– A senhora esteve a beber?

– Comi um pouco de sopa de couve antes de sair.

– Eu estou a referir-me a álcool.

– Comi um chocolate de licor na terça-feira à noite. Isso conta?

Ben não conseguia evitar rir.

O Sargento Fudge arregalou os olhos.

– Então pode explicar-me porque é que está vestida com um fato de mergulhador e tem a carteira embrulhada em papel aderente?

Ora aquela é que ia ser difícil de explicar.

– Porque... porque... hm... – a avó engasgava-se nas palavras.

Estavam feitos.

– Porque somos da Sociedade Protetora da Película Aderente – improvisou Ben, com autoridade.

– Nunca ouvi falar disso! – respondeu o Sargento Fudge com desprezo.

– Foi fundada há pouco tempo – respondeu Ben.

– Somos só dois membros, para já – acrescentou a avó, continuando a mentira. – E queremos manter uma certa discrição na sociedade, por isso, fazemos as nossas reuniões debaixo de água – daí os fatos de mergulho.

O polícia parecia completamente confuso. A avó não parou de falar na esperança de o confundir ainda mais.

– Agora, se nos dá licença, estamos com bastante pressa. Temos de ir para Londres para uma reunião importante com a Sociedade Protetora do Plástico de Bolhas de Ar. Estamos a pensar fundir as duas sociedades.

O Sargento Fudge nem tinha palavras.

– Quantos membros é que *essa* sociedade tem?

– Só um – respondeu a avó. – Mas, se nos unirmos, podemos poupar dinheiro na compra de chá, fotocópias, *clips* e coisas desse género. Adeus!

A avó pôs o pé no acelerador e arrancou.

– PARE IMEDIATAMENTE! – gritou o Sargento Fudge, levantando a mão grossa mesmo à frente deles.

Ben estacou, aterrorizado. Ainda nem eram 23h00 e ele já ia passar o resto da vida na prisão.

O Sargento Fudge aproximou o rosto ao da avó.

– Eu dou-vos boleia.

24

Águas escuras

– É aqui mesmo, se faz favor – disse a avó, apontando o destino do banco de trás do carro da polícia. – Do outro lado da torre. Muito obrigada.

O Sargento Fudge tirou com dificuldade a motinha da mala do carro.

– Para a próxima vez lembre-se: as *scooters* de mobilidade são feitas para andar nos passeios e não na estrada, muito menos na autoestrada.

– Sim, senhor agente – respondeu a avó com um sorriso.

– Bem, boa sorte com toda aquela história da... hmm... aliança Película Aderente e Plástico de Bolhas.

Dito isto, o Sargento Fudge continuou estrada fora, deixando a avó e Ben a contemplar a magnífica Torre de Londres do outro lado do rio. A Torre, com mais de 200 anos, era particularmente espetacular à noite, com as quatro torres iluminadas e o reflexo delas cintilando por entre a escuridão do rio Tamisa.

Em tempos, a Torre de Londres tinha sido uma prisão, com uma lista ilustre de antigos prisioneiros (incluído a futura Rainha Isabel I, o aventureiro *Sir* Walter Raleigh, o terrorista Guy Fawkes, o velho Nazi Rudolf Hess e os One Direction[3]). No entanto, hoje em dia, a Torre é um museu e o local onde estão guardadas as inestimáveis Joias da Coroa, num edifício especial: a Casa das Joias.

O duo mais improvável de criminosos estava já na margem do rio.

– Estás pronto? – perguntou a avó, com a máscara de mergulho completamente embaciada de ter estado no carro da polícia por mais de uma hora.

– Sim, avó – respondeu Ben, tremendo com a excitação.
– Estou pronto.

---

[3] Menti acerca deste último, mas gostava de ver os One Direction presos na Torre de Londres para sempre, por cometerem crimes contra a música.

A avó pegou na mão de Ben e contou:

– Três, dois, um…

E saltaram para as águas escuras do rio.

Mesmo usando os fatos de mergulho, a água estava gelada e, por momentos, Ben só conseguia ver preto. A situação era aterrorizante e excitante ao mesmo tempo.

Quando as suas cabeças apareceram fora da água, Ben tirou o tubo de respiração por um instante.

– Estás bem, avó?

– Nunca me senti tão viva, filho.

Nadaram os dois à cão até ao outro lado do rio. Ben nunca tinha sido um bom nadador, portanto ficava um pouco para trás. Secretamente, desejava ter trazido as boias ou um colchão de ar.

Um cruzeiro de festa enorme, com música a bombar e jovens aos gritos, passou rio abaixo. A avó tinha ido à frente e Ben não a conseguia ver.

Oh, não! Será que ela tinha sido esmagada pelo cruzeiro? Estaria a avó numa campa aguada no fundo do Tamisa?

– Anda lá, ó molengola! – gritou a avó, depois de o barco passar e quando conseguiam ver-se outra vez. Ben respirou de alívio e continuou a nadar à cão através das águas escuras e sujas.

De acordo com o diagrama do *Semanário de Canalização*, o cano de esgoto estava situado para o lado esquerdo do Portão dos Traidores (esta era uma entrada que só era acessível pelo rio e por onde muitos prisioneiros costumavam ser levados para serem fechados para o resto das suas vidas ou mesmo decapitados). Atualmente, o Portão dos Traidores estava entaipado, por isso, o esgoto era a única entrada pelo rio.

Foi então que, para alívio de Ben, encontraram o cano de esgoto. Parte dele estava submerso na água. Era escuro e assustador e ouviam-se os ecos das ondas a baterem lá dentro.

De repente, Ben começou a ter dúvidas sobre toda aquela

aventura. Por muito que gostasse de canalização, não lhe apetecia lá muito ter de rastejar por um cano de esgoto antigo.

– Anda lá, Ben – disse a avó, flutuando na água. – Não chegámos tão longe para desistirmos agora.

Bem, pensou Ben, *se uma senhora de idade consegue, eu também consigo.*

Ben respirou fundo e começou a entrar no cano. A avó seguiu-o de perto.

Lá dentro era mais escuro que o próprio escuro e, passados alguns metros, Ben sentiu algo a trepar-lhe pela cabeça. Ouviu um *chiii-chiii* e sentiu algo a arranhar-lhe o escalpe.

Pareciam unhas.

Pôs a mão na cabeça.

Sentiu algo grande e peludo.

Apercebeu-se da terrível verdade.

ERA UMA RATAZANA!

Uma ratazana gigante estava presa à cabeça dele.

– AAAAAAAAAAAAHHHHHHHHHHHH HHHHHHHHHHHHHH! – gritou Ben.

25

Assombrado por fantasmas

O som do grito de Ben ecoou pelo esgoto todo. Deu um tabefe na ratazana que foi aterrar mesmo atrás dele e em cima da avó que o seguia.

– Pobre ratinho – disse ela. – Sê meigo com ele, querido.

– Mas...

– Já estava aqui antes de nós. Agora, anda lá, temos de nos despachar. O tónico para dormir do bolo de chocolate deve estar quase a perder o efeito.

Avó e neto subiram ainda mais pelo cano fora. Era molhado, escorregadio e cheirava muito mal (infelizmente para a avó e para Ben, parece que cocó antigo cheira mal na mesma).

Depois de algum tempo, Ben conseguiu ver uma nesga de cinzento no meio de tanto preto: era o final do túnel, finalmente!

Içou-se através da antiga latrina e puxou a avó para cima. Estavam cobertos de um lodo preto e malcheiroso da cabeça aos pés. Já naquela casa de banho fria e escura, Ben encontrou uma janela na parede que não tinha vidro. Passaram pela janela e aterraram na relva molhada e fria do pátio da Torre. Ficaram ali deitados por uns momentos, a ver a lua e as estrelas. Ben pegou na mão da avó e ela apertou-a com força.

– Isto é incrível – disse Ben.

– Anda lá, querido – sussurrou ela. – Ainda nem começámos!

Ben levantou-se e ajudou a avó a pôr-se de pé. A senhora começou logo a tirar a película aderente com a qual tinha embrulhado a carteira, para que esta ficasse à prova de água.

Isto demorou vários minutos.

– Acho que se calhar exagerei na película aderente. Seja como for, é melhor prevenir do que remediar.

Eventualmente, a avó conseguiu tirar os quilómetros de película aderente e pegou no mapa que Ben tinha recortado de um livro da biblioteca da escola – para que os ladrões prováveis conseguissem encontrar a Casa das Joias.

Era estranho estar no pátio da Torre de Londres à noite.

Diz-se que a Torre está assombrada pelos fantasmas das pessoas que ali morreram. Ao longo dos anos, vários guardas fugiram, aterrorizados, alegando terem visto na tranquilidade da noite os fantasmas de várias personagens históricas que ali tinham morrido.

Mas agora havia algo ainda mais estranho a correr pelo pátio.

A avó num fato de mergulho!

– Por aqui – sussurrou a avó, com Ben seguindo-a pelo muro fora. O coração de Ben batia tão depressa que achava que ia explodir.

Alguns minutos depois, estavam em frente à Casa das Joias, mirando a Torre Verde e o monumento erguido para os que ali tinham sido decapitados ou enforcados. Ben perguntou-se se ele e a avó poderiam ser executados se fossem apanhados a roubar as Joias da Coroa e um calafrio percorreu-lhe a espinha.

Os dois guardas da Torre estavam deitados no chão, ressonando muito alto. Os uniformes imaculados, pretos e vermelhos, enfeitados com as iniciais «ER» (*Elizabeth Regina – Regina* signi-fica rainha em Latim) estavam a ficar sujos no chão molhado. O tónico de ervas para dormir que a avó tinha posto no bolo de chocolate tinha funcionado mesmo.

Mas, por quanto tempo?

Ao passar rapidamente por eles, libertou-se do rabiosque da avó um *quá-quá* típico. O nariz de um dos guardas enrugou--se com o cheiro.

Ben susteve a respiração – não só por causa do cheiro – mas porque tinha medo.

Iria o arroto do rabiosque da avó acordar o guarda e estragar tudo?

O tempo parecia não passar...

E o guarda abriu um olho.

Oh, não!

A avó empurrou Ben para trás e levantou a carteira, como se fosse dar com ela na cabeça do guarda.

É agora, pensou Ben, *Vamos ser enforcados!*

Mas o guarda voltou a fechar o olho e continuou a ressonar.

– Avó, por favor, tenta controlar-te – silvou Ben.

– Eu não fiz nada – disse inocentemente a avó. – Deves ter sido tu.

Os dois seguiram em bicos de pés até à enorme porta de aço da Casa das Joias.

– Pronto, agora só preciso da broca do teu pai... – disse

a avó, procurando a ferramenta na sua carteira. Com um barulho surdo, começou a perfurar todas as fechaduras da porta. Uma por uma, todas caíram ao chão.

De repente, os guardas começaram a ressonar ainda mais alto.

ZZZZZZZZZZZZZZZZZZZZZZZZZZZZZZ
ZZZZZZZZZZZZZZZZZZZZZZZZZZZZZZ
ZZZZZZZZZZZZZZZZZZZZZZZZZZZZZ

Ben ficou estático e a avó quase deixou cair a broca. Mas os guardas continuavam a dormir e, depois de uns inquietantes minutos, a porta abriu-se, finalmente.

A avó parecia exausta. Caía-lhe suor da testa. Sentou-se por uns momentos num murinho e tirou da carteira uma garrafa térmica.

– Queres sopa de couve? – ofereceu.

– Não, obrigado, avó – respondeu Ben, que não conseguia parar quieto. – É melhor irmos andando, antes que os guardas acordem.

– Sempre com pressa. Vocês, jovens, estão sempre com

pressa. A paciência é uma virtude. – Bebeu o resto da sopa de couve e levantou-se.

– Que delícia! Ora bem, vamos lá! – disse ela.

A enorme porta de aço rangeu ao abrir-se e Ben e a avó entraram na Casa das Joias.

Através da escuridão sentiram uma rajada de penas a bater-lhes na cara. Ben assustou-se tanto que gritou novamente.

– *Chiu!* – disse a avó.

– O que era aquilo? – perguntou Ben, vendo as criaturas a voarem em direção ao céu negro. – Morcegos?

– Não, querido. Corvos. Há dezenas de corvos aqui. Os corvos vivem na Torre há centenas de anos.

– Este sítio é assustador – comentou Ben, o seu estômago enrolado num nó.

– Especialmente à noite – concordou a avó. – Agora não saias da minha beira, rapaz, porque vai ficar ainda mais assustador...

26

Um vulto na escuridão

Diante deles estendia-se um longo e sinuoso corredor. Era neste exato local que turistas de todo o mundo faziam fila durante horas para verem as Joias da Coroa. Avó e neto percorreram-no pé ante pé, pingando água malcheirosa do Tamisa à medida que avançavam.

Dobraram uma esquina e, finalmente, chegaram à sala principal onde eram guardadas as Joias. Tal como o sol que irrompe das nuvens num dia cinzento, as Joias iluminaram a cara de Ben e da avó.

O duo de ladrões parou, espantado. Ficaram de boca aberta a olhar para os tesouros que tinham à sua frente. Eram ainda mais magníficos do que alguém poderia imaginar. Era realmente a mais soberba coleção de joias do mundo inteiro.

Caro leitor, as Joias não só eram magníficas e de valor incalculável, como simbolizavam centenas de anos de história. Havia uma série de coroas reais:

- Coroa de Santo Eduardo: é com esta coroa que cada novo rei ou rainha é coroado pelo Arcebispo de Cantuária durante a cerimónia de coroação. É feita de ouro e decorada com safiras e topázios. Joias à maneira!

- Coroa Imperial do Estado: esta coroa tem umas incríveis 3 mil pedras preciosas, incluindo a Pequena Estrela de África (o segundo maior corte do maior diamante alguma vez encontrado; não, não sei onde está a Grande Estrela de África).

- A impressionante Coroa Imperial da Índia, adornada com uns 6 mil diamantes, rubis e esmeraldas magníficos. Infelizmente não há no meu tamanho.

- A colher de unção em ouro, do século XII, usada para ungir o rei ou a rainha com óleo sagrado. Não é para ser usada para comer Chocapic.

- Não nos esqueçamos da *Ampulla*, o frasco de ouro em

forma de águia que contém o óleo real. Como uma garrafa térmica mesmo fixe.

- E, finalmente, a famosa Orbe e os Cetros. É mesmo muito material.

Se as Joias da Coroa fizessem parte de um catálogo de algum supermercado provavelmente ficava parecido com isto:

A avó tirou o saco de compras que tinha guardado na carteira e preparou-se para guardar as Joias da Coroa lá dentro.

– Pronto, agora só precisamos de partir este vidro... – sussurrou ela.

Ben olhou para a avó, incrédulo.

– Não sei se vamos conseguir levar todas essas joias aí dentro.

– Bem, desculpa, querido – sussurrou a avó de volta. – Hoje em dia temos de pagar cinco cêntimos pelos sacos de plástico nos supermercados, por isso só trouxe um.

O vidro tinha centímetros de grossura.

Era à prova de bala.

Ben tinha surripiado uns químicos compostos da aula de Ciências e tinha-os misturado para fazer...

PUUUUUUUUUUUUUUUUUU UUUUUUUUUMMMMMMMMMMM MMMMMMMMMMMMMMM!!!!!

...se lhes pegasse fogo.

Colaram os químicos ao vidro com um pouco de supercola. Depois, a avó pôs a ponta de um fio de lã cor-de-rosa colado à área com cola. (A lã seria o rastilho perfeito.) Tirou uns fósforos da carteira. Agora, só tinham de ter a certeza de que ficariam suficientemente longe da explosão.

– Pronto, Ben – sussurrou a avó. – Vamos afastar-nos o mais possível do vidro.

Recuaram para trás de um muro, desenrolando o novelo de lã cor-de-rosa.

– Queres acender o rastilho? – perguntou a avó.

Ben acenou que sim. Queria mesmo ser ele a acendê-lo, mas as mãos tremiam-lhe tanto de excitação que não sabia se iria conseguir.

Abriu a caixa de fósforos. Só havia dois fósforos.

Tentou acender o primeiro, mas as mãos tremiam tanto que partiu o fósforo em dois.

– Que chatice – sussurrou a avó. – Tenta outra vez.

Ben pegou no segundo fósforo.

Tentou acendê-lo, mas não aconteceu nada. Devia ter saído alguma água da manga do fato de mergulho, e agora o fósforo e a caixa de fósforos estavam completamente encharcados.

– Nãooooo – disse Ben, desesperado. – Os meus pais

tinham razão. Não sirvo para nada. Nem consigo acender um fósforo!

A avó abraçou o neto e os fatos de mergulho chiaram um bocadinho.

– Não fales assim, Ben. Tu és um rapaz incrível. A sério. Desde que tenho passado tempo contigo sou mil vezes mais feliz do que era antes.

– A sério? – perguntou Ben.

– A sério! – respondeu a avó. – Tu és mesmo inteligente. Só tens 11 anos e planeaste sozinho este roubo extraordinário.

– Tenho quase 12 – disse Ben.

A avó riu-se.

– Mas tu percebeste, querido. Quantas outras crianças da tua idade é que conseguiam planear algo tão ousado como isto?

– Mas nós já não vamos conseguir roubar as Joias da Coroa, por isso foi uma enorme perda de tempo.

– Ainda não está tudo perdido – disse a avó, tirando uma lata de sopa de couve da carteira. – Podemos sempre usar a força bruta à moda antiga!

A avó deu a lata ao neto. Com um sorriso, Ben pegou nela e foi até ao vidro.

– Aqui vai! – disse Ben, dando lanço ao braço para mandar a lata.

– Por favor, não façam isso – disse uma voz por entre as sombras.

A avó e Ben estacaram, aterrorizados.

Seria um fantasma?

– Quem está aí? – perguntou Ben.

O vulto saiu para a luz.

Era a Rainha.

27

Uma audiência com a Rainha

– O que está aqui a fazer? – perguntou Ben. – Err... Quer dizer, o que está Vossa Majestade aqui a fazer?

– Eu gosto de vir aqui quando não consigo dormir – respondeu a Rainha, na sua característica voz sofisticada.

Ben e a avó ficaram surpreendidos por ver que ela estava vestida de camisa de noite e pantufas peludas com a forma dos seus cães – os corgis. Além disso, estava a usar a coroa das coroações, a mais magnífica de todas as Joias da Coroa. Aquela coroa fora-lhe posta na cabeça pelo Arcebispo de Cantuária, que a coroara Rainha em 1953. A coroa é feita de ouro, incrustada com diamantes, rubis, pérolas, esmeraldas e safiras, e remonta a 1661.

Era um visual impressionante, até para uma Rainha!

– Costumo vir aqui quando preciso de pensar – continuou a Rainha. – Daqui a umas semanas faço o meu discurso de Natal à nação e preciso de pensar muito bem no que quero dizer. É sempre mais fácil pensar com a coroa na cabeça. Mas a pergunta que se impõe é: o que estão *vocês* aqui a fazer?

Ben e a avó olharam um para o outro, envergonhados.

Quando alguém ralha connosco, ficamos tristes, mas quando é a própria Rainha a ralhar, o nível de «ralhamento» é completamente diferente, como este gráfico simples demonstra:

– E por que razão cheiram os dois a cocó? Então? – insistiu Sua Majestade. – Estou à espera.

– Sou eu a única culpada, Majestade – disse a avó, fazendo uma reverência.

– Não, não é – interveio Ben. – Eu é que disse que devíamos roubar as Joias da Coroa e convenci a minha avó a fazê-lo.

– Isso é verdade – continuou a avó –, mas não era o que eu queria dizer. Eu é que comecei isto tudo quando fingi que era uma ladra internacional de joias.

– O *quê?* – exclamou Ben.

– Desculpe? – disse a Rainha. – Estamos terrivelmente confusas! (Não esquecer que a Rainha fala sempre no plural, como se fosse várias pessoas.)

– O meu neto odiava ficar comigo nas sextas-feiras à noite – explicou a avó. – Um destes dias, ouvi-o ligar para os pais a queixar-se de como eu era aborrecida…

– Mas, avó, eu já não penso isso! – protestou Ben.

– Não faz mal, Ben. Eu sei que as coisas entretanto mudaram. A verdade é que eu *era* mesmo chata. Só gostava de comer couve e de jogar *Scrabble* e, lá no fundo, sabia que tu odiavas essas coisas. Por isso, baseando-me nos livros que li, inventei histórias para te entreter. Disse-te, por exemplo, que era uma ladra de joias infame chamada *A Gata Preta*...

– Então, e aqueles diamantes que me mostraste? – perguntou Ben, sentindo-se chocado e zangado por ter sido enganado.

– Não valem nada, querido – respondeu a avó. – São feitos de vidro. Encontrei-os numa embalagem velha na loja de caridade.

Ben olhou fixamente para a avó. Não conseguia acreditar. Aquela história incrível tinha sido completamente inventada!

– Não acredito que me mentiste! – exclamou ele.

– Eu... eu... – disse a avó, vacilante.

Ben fitou-a.

– Já não és a minha avó gângster!

Um silêncio ensurdecedor instalou-se na Casa das Joias.

A ele seguiu-se um clarear de garganta bastante alto e sofisticado.

– *Ahem* – disse uma voz imperiosa.

28

Enforcados, desmembrados e esquartejados

– Peço imensa desculpa por interromper – disse a Rainha, num tom ríspido –, mas podemos concentrar-nos no assunto que importa? Eu ainda não percebi porque estão aqui na Torre de Londres, a meio da noite, a cheirar a cocó e a tentar roubar as minhas joias.

– Bem, depois de começar, Majestade, a mentira foi crescendo e crescendo – continuou a avó, evitando o olhar de Ben.

– Não foi por mal. Acho que me entusiasmei. Era tão bom passar mais tempo com o meu neto e divertir-me com ele. Fazia--me lembrar do tempo em que lhe lia histórias para dormir. Nessa altura, ele não me achava chata.

Ben estava inquieto e começava a sentir-se um pouco

culpado também. A avó tinha-lhe mentido e isso era horrível, mas só o fizera porque estava triste por Ben a achar aborrecida.

– Eu também me diverti – sussurrou ele.

A avó sorriu para Ben.

– Fico feliz, querido Benny. Desculpa-me, a sério...

– Hm hm! – interrompeu a Rainha.

– Ah, sim – disse a avó. – Bem, antes que me aperce-besse, entrei num ciclo vicioso e às tantas estávamos a planear o roubo mais ousado de sempre. Já agora, nós viemos pelo cano de esgoto. Normalmente não cheiramos assim, Majestade.

– Espero bem que não. ESPERO BEM QUE NÃO!!!!!! C'HÓRRRRRRRRRRROOOOOOOOOOOOO RRRRRRREEEEEEEEEEEEEEEEEEEEEEEEEE EEEEEEE!!!!!!!!!!!!!!!!!!!!!!!!!!!!!!!!!!!!

Agora Ben sentia-se mesmo *muito* culpado. Ainda que a avó nunca tivesse sido uma ladra internacional de joias, não era, afinal, assim tão aborrecida. Ela tinha ajudado Ben a planear aquele roubo e agora estavam na Torre de Londres, a meio da noite, a falar com a Rainha!

Tenho de fazer alguma coisa para a ajudar, concluiu Ben.

– O roubo foi ideia minha, Majestade – disse Ben. – Peço imensa desculpa.

– Por favor, deixe o meu neto ir – interrompeu a avó.

– Não quero que estrague a vida, assim tão jovem. Por favor, suplico-lhe. Nós íamos devolver as Joias da Coroa amanhã. Prometo.

– Estava-se mesmo a ver... – murmurou a Rainha.

– É verdade! – exclamou Ben.

– Por favor, faça o que quiser comigo, Majestade – continuou a avó. – Feche-me aqui na Torre, se quiser, mas suplico--lhe que deixe o rapaz.

A Rainha parecia perdida nos seus pensamentos.

– Realmente não sei o que fazer – disse finalmente a Rainha. – A vossa história comoveu-me. Como sabem, eu também sou avó e os meus netos também me acham chata, às vezes.

– A sério? – perguntou Ben. – Mas Vossa Majestade é a Rainha!

– Eu sei – riu-se a Rainha.

Ben estava chocado. Nunca tinha visto a Rainha a rir-se. Normalmente ela era tão séria e nem sorria quando fazia o seu discurso de Natal na TV, ou na abertura do Parlamento, ou até quando via comediantes na *Royal Variety Performance*, aquele evento anual que servia para arrecadar fundos para artistas.

– Para eles, sou só a avó aborrecida e velha – continuou a Rainha. – Os meus netos esquecem-se de que já fui jovem.

– E de que um dia eles também vão ser velhos – acrescentou a avó, com um olhar profundo.

– Exatamente, minha cara! – concordou a Rainha. – Eu acho que a geração mais nova devia passar mais tempo com os mais velhos.

– Peço desculpa, Majestade – disse Ben. – Se eu não tivesse sido tão egoísta e não tivesse andado a queixar-me de que as pessoas mais velhas eram aborrecidas, nada disto teria acontecido.

Instalou-se um silêncio desconfortável.

A avó começou a revirar a carteira.

– Vossa Majestade, deseja um rebuçadinho para a tosse? – ofereceu a senhora.

– Sim, por favor – respondeu a Rainha. Desembrulhou o rebuçado e meteu-o na boca. – Meu Deus, não comia um destes há muitos anos.

– São os meus preferidos – disse a avó.

– E duram imenso tempo – acrescentou a Rainha enquanto chupava o rebuçado, antes de se recompor outra vez.

– Sabem o que aconteceu ao último homem que tentou roubar as Joias da Coroa? – inquiriu a Rainha.

– Foi enforcado, desmembrado e esquartejado? – perguntou excitadamente Ben.

– Acreditem ou não, foi perdoado – disse a Rainha, com um sorriso seco.

– Perdoado, Majestade? – inquiriu a avó.

– Em 1671, um homem irlandês chamado Capitão Blood tentou roubá-las, mas foi apanhado pelos guardas quando fugia. Escondeu esta coroa que estou agora a usar debaixo da capa e deixou-a cair lá fora. O rei Carlos II divertiu-se tanto com a tentativa ousada do Capitão Blood que o deixou ir.

– Tenho de o procurar no Google – disse Ben.

– Eu não sei o que é o *Google* – comentou a avó.

– Nem eu – concluiu a Rainha, rindo-se. – Portanto, seguindo a tradição real, é isso o que vou fazer. Vou perdoar-vos aos dois.

– Oh, muito obrigada, Majestade – disse a avó, beijando a mão da Rainha.

Ben deixou-se cair de joelhos.

– Obrigado, obrigado, muito obrigado, Majestade...

– Não, não se rebaixem – disse a Rainha. – Não tolero que as pessoas me bajulem. Tive demasiada gente a bajular-me durante o meu reinado!

– Peço imensa desculpa, Vossa Majestade Real – disse a avó.

– É exatamente a isso que me refiro! Estás a bajular-me! – respondeu a Rainha.

Ben e a avó olharam um para o outro com medo. Era difícil falar com Sua Majestade sem a bajular um bocadinho.

– Agora vamos embora, por favor – disse a Rainha –, antes que os guardas encham este sítio. E não se esqueçam de me ver na televisão no dia de Natal…

29

Polícia armada

A noite já ia alta quando eles finalmente se arrastaram de volta a Grey Close. Desta vez, não houve carro da polícia para lhes dar boleia. O caminho de Londres até casa era muito longo para se percorrer na motinha da avó. E lá seguiam pelas lombas de velocidade, pum, pum, pum, zumbindo até à entrada da garagem da avó.

– Que noite! – suspirou Ben.

– Meu Deus, foi mesmo. Valha-nos Deus, que me sinto mesmo presa de vir sentada naquela coisa durante tanto tempo – disse a avó, arrastando o corpo cansado para fora da motinha.

– Ben, estou arrependida, sabes? – continuou ela depois de uma pausa. – Eu não queria mesmo magoar-te. Estava a ser tão bom estar contigo que não quis que acabasse.

Ben sorriu.

– Não faz mal – disse ele. – Eu percebo porque o fizeste.

E não te preocupes, continuas a ser a minha avozinha gângster!

– Obrigada – respondeu a avó com ternura. – Enfim, acho

que isto é excitação suficiente para durar uma vida inteira.

Quero que vás para casa, que sejas um bom rapaz e que te con-

centres nas tuas coisas da canalização…

– Sim, prometo. Não há cá mais roubos para mim – riu-se

Ben.

De repente, a avó estacou. Olhou para cima.

Ben conseguia ouvir um helicóptero aos círculos sobre

a casa.

– Avó?

– *Chiu…!* – A avó ajustou o aparelho auditivo e ouviu aten-

tamente. – É mais do que um helicóptero, parece uma frota.

UIIIII-UOOOOO-UIIIII-UOOOO!

O som dos carros da polícia vinha de todos os lados e,

momentos depois, Ben e a avó estavam rodeados por polícias

fortemente armados. Já não conseguiam ver as casas vizinhas

porque à frente deles estava um muro de polícias vestidos com coletes à prova de bala. O zumbido de helicópteros da polícia era tão ensurdecedor que a avó teve de reduzir o volume do aparelho auditivo.

De um dos helicópteros ouviu-se uma voz vinda de um megafone.

– Estão cercados. Larguem as armas! Repito: larguem as armas ou disparamos.

– Nós não temos armas! – gritou Ben.

A sua voz ainda não tinha mudado, portanto, saiu um pouco à menina.

– Não discutas com eles, Ben. Põe as mãos no ar! – gritou a avó por cima do barulho.

O duo de criminosos levantou as mãos. Alguns polícias

especialmente corajosos lançaram-se para a frente, apontado as armas diretamente à avó e a Ben.

Empurraram os dois para o chão e imobilizaram-nos.

– Não se mexam! – ordenou a voz do helicóptero.

E como é que me poderia mexer com um polícia enorme a espetar-me um joelho nas costas?, perguntava-se Ben.

Uma amálgama de mãos enluvadas revistou os corpos da avó e de Ben e revirou a carteira da avó, verificando a existência de armas. Se andassem à procura de lenços usados e ranhosos até podiam ter sorte, mas não encontraram armas.

Ben e a avó foram algemados e obrigados a colocar-se de pé. De trás do muro de polícias apareceu um velho com um grande nariz e de chapéu.

Era o sr. Parker.

O vizinho bisbilhoteiro da avó.

30

Um pacote de açúcar

– Pensavam que iam safar-se com o roubo das Joias da Coroa, não era? – grunhiu o sr. Parker. – Eu sei tudo sobre o vosso plano maléfico. Bem, está tudo acabado. Senhores agentes, levem-nos daqui para fora, prendam-nos e deitem fora a chave!

Os polícias levaram os presos na direção de dois carros da polícia que os aguardavam.

– Esperem um minuto – gritou Ben. – Se roubámos as Joias da Coroa, então onde estão elas?

– Sim. Pois, é claro! As provas. É tudo o que precisamos para pôr estes dois criminosos atrás das grades. Procurem no cesto da *scooter*. Já! – gritou, por sua vez, o sr. Parker.

Um dos polícias procurou no cesto e encontrou um grande pacote embrulhado em película aderente molhada.

– Ah, sim, as joias devem estar aí – disse o sr. Parker, com ar confiante. – Dê-me cá isso.

O sr. Parker lançou um olhar convencido para Ben e a avó. Começou a desembrulhar o pacote.

Passaram alguns minutos até o pacote grande passar a ser um pacote pequeno. Por fim, o sr. Parker chegou ao final da película aderente.

– Ah, sim, aqui estão elas! – anunciou ele, enquanto uma lata de sopa de couve caía para o chão.

– Sr. Parker, pode dar-me isso, por favor? – pediu a avó. – É o meu almoço.

– Revirem a casa dela! – rosnou o sr. Parker.

Uns quantos polícias tentaram rebentar com a porta da frente, dando-lhe encontrões com os ombros. A avó contemplava a cena, divertida, até que sugeriu:

– Eu tenho aqui uma chave, se preferirem!

Um polícia foi ter com ela, envergonhado, e pegou na chave.

– Obrigado, minha senhora – disse, educadamente.

Ben e a avó trocaram um sorriso.

Então, o polícia abriu a porta e uma centena de agentes – ou assim o parecia – correu para dentro de casa. Revistaram a casa de cima a baixo, mas depois de pouco tempo, voltaram a sair, de mãos a abanar.

– Lamento, mas não há Joias da Coroa ali dentro, sr. Parker – disse um dos polícias. – Só há um jogo de *Scrabble* e mais umas quantas latas de sopa de couve.

A cara do sr. Parker ficou vermelha de raiva. Tinha chamado metade dos polícias do país para nada.

– E, sr. Parker – continuou um dos polícias –, o senhor tem é muita sorte de não ir preso por fazer perder tempo à polícia...

– Espere! – gritou o sr. Parker. – Só porque as joias não estão na casa, não quer dizer que eles não as tenham. Eu sei o que ouvi. Procurem... no jardim! Sim! Escavem-no todo!

O polícia levantou uma mão com calma.

– Sr. Parker, nós não podemos simplesmente...

De súbito, fez-se luz na mente do sr. Parker e os seus olhos começaram a brilhar.

– Espere aí. O senhor agente não lhes perguntou onde é que eles estiveram durante a noite. Eu *sei* que eles foram roubar as Joias da Coroa. Aposto que não têm um álibi para esta noite!

O polícia voltou-se para Ben e para a avó, franzindo o sobrolho.

– Por acaso, isso até nem é má ideia – disse ele. – Podem dizer-me onde estiveram esta noite?

Agora é que o sr. Parker estava radiante de expectativa.

Nessa altura, outro polícia aproximou-se deles, com andar pachorrento. Havia qualquer coisa de familiar nesse polícia e, quando Ben viu o seu bigode, percebeu.

– Chefe, acabámos de receber uma chamada para si no... – disse o Sargento Fudge, segurando um intercomunicador. Parou de repente, a olhar para Ben e para a avó.

– Olha! – disse ele. – E não é que são os tipos da película aderente!

– Sargento Fidge! – chamou Ben.

– Fudge! – corrigiu o Sargento.

– Sim, desculpe, Fudge. É bom vê-lo outra vez.

O chefe da polícia parecia confuso.

– Desculpe?

– Este moço e a avó. São da Sociedade Protetora da Película Aderente. Eles foram, esta noite, à sua reunião anual em Londres. Até os deixei lá.

– Então não estavam a roubar as Joias da Coroa? – perguntou o chefe.

– Não! – riu-se o Sargento Fudge. – Foram fazer uma fusão com a Sociedade Protetora do Plástico de Bolhas de Ar. Agora roubar as Joias da Coroa...! – Sorriu para Ben e a avó. – Onde já se viu?! Que ideia!

A cara do sr. Parker fez-se vermelha.

– Mas... mas... Eles roubaram-nas! Eles são maus, garanto-lhe!

Enquanto o sr. Parker balbuciava a torto e a direito, o chefe da polícia pegou no intercomunicador que o Sargento Fudge lhe tinha trazido.

– Sim. Hum-hum. Certo. Obrigado – disse ele. Virou-se para Ben e a avó. – Eram as Forças Especiais. Pedi-lhes para confirmarem se as Joias da Coroa estavam no sítio. E parece que estão. Peço desculpa, minha senhora. E menino. Vamos lá tirar as algemas, é um instantinho...

O sr. Parker encolheu-se, completamente desapontado.

– Não, não pode ser…

– Se ouvir mais um pio vindo de si, sr. Parker – avisou o polícia –, hoje passa a noite na prisão!

Deu meia volta e dirigiu-se a um dos carros de patrulha, seguido pelo Sargento Fudge que acenou, em despedida, a Ben e à avó.

Ben e a avozinha aproximaram-se do sr. Parker, com as mãos de ambos ainda algemadas.

– O senhor apenas ouviu histórias – disse Ben. – Apenas

ouviu a minha avó a contar-me histórias, sr. Parker. Acho que deu largas à sua imaginação.

– Mas... mas... mas...! – balbuciou o sr. Parker.

– Eu? Uma ladra internacional de joias?!

A avó riu-se. E os polícias também se começaram todos a rir.

– É preciso ser-se um bocado parvo para se acreditar nisso! – disse ela. – Desculpa, Ben – sussurrou.

– Não faz mal! – sussurrou Ben, em resposta.

Os polícias tiraram as algemas a Ben e à avó, entraram rapidamente nos carros e aceleraram dali para fora.

– Pedimos desculpa pelo incómodo, minha senhora – disse um dos polícias, antes de partir. – Tenha um bom dia.

Os helicópteros desapareceram no céu da madrugada. À medida que as suas pás aumentavam de velocidade, o precioso chapéu do sr. Parker voou e aterrou numa poça.

A avó aproximou-se do sr. Parker, que estava agora na entrada da sua garagem, sem chapéu.

– Se alguma vez precisar de pedir um pacote de açúcar emprestado... – disse ela, carinhosamente.

– Sim… – retorquiu o sr. Parker.

– Escusa de vir bater à minha porta… E digo-lhe mais, se vier bater-me à porta, dou-lhe com o pacote de açúcar na tromba… – ameaçou a avó com um sorriso doce.

31

Luz dourada

O sol já tinha nascido e Grey Close estava banhado numa luz dourada. Havia orvalho no chão e uma névoa misteriosa que fazia com que a fila de casinhas parecesse mágica.

– Ora bem – disse a avó com um suspiro –, é melhor voltares para casa antes que os teus pais acordem, Ben.

– Eles não querem saber de mim – disse Ben.

– Ai querem, querem – respondeu a avó, pondo um braço à volta do neto. – Só não sabem como o demonstrar.

– Não sei… talvez.

Ben deu o maior bocejo que alguma vez tinha dado na sua vida.

– Bolas, estou tão cansado. Esta noite foi um espetáculo!

– Foi a noite mais emocionante da minha vida, Ben. Não

a trocava por nada deste mundo – disse a avó, com os olhos a brilhar. E respirou fundo.

– Ah, a alegria de estar vivo!

Os seus olhos encheram-se de lágrimas.

– Avó, estás bem? – perguntou Ben, carinhosamente.

A avó escondeu a cara.

– Estou bem, filho, a sério que estou.

A sua voz tremia de emoção enquanto falava. De repente, Ben percebeu que havia algo que estava muito mal.

– Avó, por favor, podes contar-me.

Ben pegou na mão da avó. A sua pele era macia, mas envelhecida. Frágil.

– Bem – disse a avó, hesitando. – Há outra coisa sobre a qual te menti, querido.

Ben sentiu-se a afundar.

– O que é? – perguntou ele, apertando a mão à avó para lhe dar força.

– O médico deu-me os resultados dos testes na semana passada e eu disse-te que estava tudo bem. Era mentira. Está tudo mal. – A avó parou por momentos. – A verdade é que tenho cancro.

– Não... não... – disse Ben, com lágrimas nos olhos. Ele já tinha ouvido falar o suficiente de cancro para saber que era sério.

– Mesmo antes de vires ter comigo no hospital, o médico disse-me que o cancro está bastante avançado.

– Quanto tempo tens? – balbuciou Ben. – Ele disse?

– Disse que eu não chegava ao Natal.

Ben abraçou a avó com toda a força que tinha, como que esperando que o corpo dele conseguisse partilhar alguma vida com ela.

As lágrimas corriam pelas faces de Ben. Era tão injusto – ele só tinha começado a conhecer a avó a sério nas últimas semanas e agora ia perdê-la.

– Não quero que morras, avó.

A avó olhou para Ben uns momentos.

– Ninguém vive para sempre, filho. Mas espero que nunca me esqueças. A tua velha avó chata!

– Não és nada chata. És uma avó gângster, a sério! Nós quase roubámos as Joias da Coroa, lembra-te disso!

A avó riu-se.

– Sim, mas não contes a ninguém, por favor. Ainda podemos meter-nos em sarilhos com isso. Vai ter de ser o nosso segredo.

– E o da Rainha! – disse Ben.

– Ah, sim! Que querida que ela era.

– Eu nunca te vou esquecer, avó – disse Ben. – Vais estar para sempre no meu coração.

– Isso é a coisa mais bonita que alguma vez me disseram – disse a senhora.

– Gosto muito de ti, avó.

– Eu também gosto muito de ti, Ben. Mas agora é melhor ires.

– Eu não te quero deixar.

– Isso é muito bonito da tua parte, querido, mas se a tua mamã e o teu papá acordarem e não te virem lá, vão ficar muito preocupados.

– Não vão nada.

– Ai, vão, vão. Vá, Ben, por favor, sê um bom menino.

Contrariado, Ben levantou-se. Ajudou a avó a levantar-se também.

Depois, abraçou-a e deu-lhe um beijo no rosto. Já não se importava com o queixo peludo. Pelo contrário, adorava-o.

E adorava o apito do aparelho auditivo. E adorava o cheiro a couve. E, acima de tudo, adorava quando ela dava puns sem sequer dar por isso.

Ben adorava tudo na avó.

– Adeus – disse Ben, suavemente.

– Adeus, Ben.

32

Sanduíche familiar

Quando Ben chegou finalmente a casa, reparou que o pequeno carro castanho não estava na entrada. Ainda era muito cedo de manhã.

Onde poderiam estar os pais àquela hora?

Ainda assim, subiu pela caleira e entrou pela janela, de volta ao quarto. Aquela escalada era dura, Ben estava cansado de ter estado acordado a noite toda e o fato de mergulho fazia com que se sentisse ainda mais pesado. Afastou as revistas de canalização para conseguir esconder o fato de mergulho debaixo da cama. Depois disso, e sem fazer barulho, vestiu o pijama e deitou-se na cama.

Quando estava prestes a fechar os olhos, ouviu um carro

a acelerar à porta de casa e o som da mãe e do pai a chorarem descontroladamente.

– Procurámos por toda a parte – disse o pai, a chorar.

– Não sei o que fazer.

– A culpa é minha – acrescentou a mãe, entre lágrimas.

– Nunca o deveria ter inscrito naquele concurso de dança. Ele deve ter fugido de casa...

– Vou ligar à polícia.

– Sim, sim, temos de ligar. Já devíamos ter ligado há horas.

– Temos de pôr o país inteiro à procura dele... Estou? Estou sim? Preciso de falar com a polícia, por favor... É o meu filho. Não consigo encontrar o meu filho...

Ben sentiu-se terrivelmente culpado. Afinal, os pais preocupavam-se com ele.

E muito.

Saltou da cama, abriu a porta do quarto e desceu as escadas a correr, direto aos braços dos pais. O pai deixou cair o telefone.

– Oh, meu filho! Meu querido filho! – exclamou o pai.

O pai abraçou Ben como nunca antes o tinha abraçado.

A mãe também pôs os braços à volta do filho, até serem uma grande sanduíche familiar com Ben como recheio.

– Ai, Ben, graças a Deus que voltaste! – gritou a mãe.

– Onde estiveste?

– Com a avó – respondeu Ben, omitindo uma parte da verdade. – Ela está... ela está... muito doente – disse ele, triste.

Mas conseguiu ver na cara dos pais que isso não tinha sido uma surpresa.

– Sim... – disse o pai, desconfortável. – Receio que ela esteja...

– Eu sei – disse Ben. – Nem acredito que não me tenham contado. Ela é a minha avó!

– Eu sei – respondeu o pai. – E também é a minha mãe. Desculpa não te termos contado, filho. Não te queríamos preocupar...

De repente, Ben conseguiu ver a dor nos olhos do pai.

– Não faz mal – disse ele.

– A tua mãe e eu temos estado a pé a noite inteira à tua procura – acrescentou o pai, apertando ainda mais o filho.

– Nunca teríamos pensado em procurar-te na tua avó. Sempre disseste que ela era chata.

– Mas não é. Ela é a melhor avó do mundo.

O pai sorriu.

– Isso é muito querido, filho. Mas podias ter-nos dito onde estavas.

– Desculpa. Depois de vos ter desiludido no concurso de dança, não achei que se importassem comigo.

– Que não nos importássemos contigo?! – disse o pai, chocado. – Nós adoramos-te!

– Gostamos tanto de ti, Ben! – acrescentou a mãe.

– Nunca deves pensar que não gostamos de ti. Que interessa um concurso de dança estúpido apresentado pelo Flavio Flavioli? Eu tenho orgulho em ti, faças o que fizeres.

– Temos os dois muito orgulho em ti – disse o pai.

Agora todos choravam e sorriam, e era difícil saber se as lágrimas eram de felicidade ou de tristeza. Também não interessava; provavelmente eram uma mistura das duas.

– Vamos a casa da avó beber um chá? – perguntou a mãe.

– Sim – respondeu Ben. – Era bom.

– E eu e o pai temos andado a falar – disse a mãe, pegando na mão do filho. – Encontrei as revistas sobre canalização.

– Mas... – disse Ben.

– Não há problema – continuou a mãe. – Não precisas de ter vergonha. Se é o teu sonho, deves ir em frente!

– A sério? – perguntou Ben.

– Sim! – acrescentou o pai. – Só queremos que sejas feliz.

– Há só uma coisa... – continuou a mãe. – Eu e o pai achamos que, se a canalização não resultar como carreira, deves ter uma espécie de plano B...

– Um plano B?! – perguntou Ben. Normalmente ele não percebia o que os pais queriam dizer, muito menos agora.

– Sim – continuou o pai –, e sabemos que as danças de salão não são a tua coisa preferida...

– Pois não – concordou Ben, aliviado.

– Então, o que achas de danças no gelo?

Ben ficou a olhar para a mãe.

Por um longo momento a mãe devolveu-lhe o olhar, até não aguentar mais e desatar a rir. O pai também se juntou à gargalhada geral e, mesmo com lágrimas, Ben não aguentou e riu-se com eles.

33

Silêncio

Depois deste episódio, as coisas ficaram muito melhores entre Ben e os pais. O pai de Ben foi com ele à drogaria, comprou-lhe umas ferramentas para canalização e passaram uma tarde divertida juntos a desmontar um sifão.

Uma semana antes do Natal, receberam um telefonema durante a noite.

Duas horas mais tarde, Ben e os pais estavam junto da cama da avó, numa casa de repouso, que é um sítio para onde as pessoas vão quando o hospital já não pode tratar delas. A avó já não tinha muito tempo de vida. Talvez tivesse umas horas. Os enfermeiros disseram que podia ser a qualquer momento.

Ben estava ansioso, sentado ao lado da cama da avó. Apesar de a avó ter os olhos fechados e não parecer conseguir falar, estar ali naquela sala com ela era uma experiência incrivelmente intensa.

O pai andava de um lado para o outro aos pés da cama, sem saber o que fazer ou o que dizer.

A mãe olhava o vazio, sentindo-se impotente.

Ben simplesmente segurava a mão da avó.

Ele não queria que ela desaparecesse sozinha na escuridão.

Escutavam a respiração difícil da avó. Era horrível de ouvir. Mas só havia um som pior do que esse.

O silêncio.

Porque o silêncio quereria dizer que ela já tinha partido.

Nesse momento, e para surpresa de toda a gente, a avó abriu lentamente os olhos. Sorriu quando os viu aos três.

– Estou… faminta – disse ela, com uma voz fraca. Enfiou a mão debaixo dos lençóis e tirou algo embrulhado em película aderente que começou a desembrulhar.

– O que é isso? – perguntou Ben.

– É só uma fatia de bolo de couve – respondeu a avó, ofegante. – Sinceramente, a comida aqui é *medonha*.

Pouco tempo depois, a mãe e o pai saíam do quarto para ir

buscar um café à máquina automática. Ben não queria deixar a avó nem por um segundo. Esticou-se e pegou na mão dela, que estava seca e sem força.

Lentamente, a avó virou-se para Ben. O tempo estava a esgotar-se, Ben conseguia perceber isso. A avó piscou-lhe o olho.

– Serás sempre o meu pequeno Benny – sussurrou ela.

Ben lembrou-se de como costumava odiar esse nome. Agora adorava-o.

– Eu sei – disse ele, com um sorriso. – E tu serás sempre a minha avozinha gângster.

Mais tarde, já a avó tinha partido, Ben seguia em silêncio no banco de trás do carro dos pais, a caminho de casa. Estavam todos cansados de chorar.

Já se via imensa gente nas ruas a fazer compras de Natal, as estradas estavam cheias de carros e havia uma longa fila para o cinema. Ben não conseguia perceber como era possível a vida correr normalmente quando algo tão grave e importante tinha acabado de acontecer.

O carro virou a esquina e aproximou-se das filas de lojas.

– Posso ir num instante à loja do Raj, por favor? – perguntou Ben. – Não demoro muito.

O pai estacionou o carro e Ben foi sozinho até à loja. Caía uma neve muito leve.

PLIM!, fez a campainha quando a porta abriu.

– Ahh, jovem Ben! – exclamou Raj. O lojista percebeu o ar triste de Ben. – Aconteceu alguma coisa?

– Sim, Raj... – balbuciou Ben. – A minha avó acaba de morrer.

De alguma forma, dizê-lo em voz alta fez com que começasse outra vez a chorar.

Raj apressou-se a sair de trás do balcão e deu um grande abraço a Ben.

– Oh, Ben, lamento imenso. Há algum tempo que não a via e calculei que não estivesse bem.

– Pois não. Raj, eu só queria dizer – disse Ben, fungando – muito obrigado por me teres ralhado daquela vez. Tu tinhas razão, a minha avó não era nada chata. Ela era maravilhosa.

– A minha ideia não era ralhar contigo, Ben. Só achei

que nunca te tinhas dado ao trabalho de conhecer verdadeiramente a tua avó.

– E tinhas razão. Havia tanta coisa que eu nem imaginava.

– Ben limpou as lágrimas com a manga.

Raj começou a procurar algo pela loja.

– Bem, eu tenho para aqui um pacote de lenços. Onde estarão eles? Ah, sim, estão aqui debaixo das carteiras de cromos. Aqui tens.

O lojista abriu o pacote de lenços e passou-o a Ben. O rapaz limpou os olhos.

– Obrigado, Raj. São 10 pacotes de lenços pelo preço de nove? – perguntou ele, com um sorriso.

– Não, não, não! – riu-se Raj.

– 15 pacotes pelo preço de 14?

Raj pôs uma mão no ombro de Ben.

– Não estás a perceber – disse ele. – Estes são por conta da casa.

Ben ficou quieto a olhar para Raj. Em toda a história do mundo, Raj *nunca* tinha oferecido nada a ninguém. Era inédito.

Era uma loucura. Era… era algo que ia fazer Ben chorar outra vez, se não se conseguisse conter.

– Muito obrigado, Raj – disse ele rapidamente, engasgando-se um pouco. – É melhor voltar para os meus pais. Eles estão à minha espera lá fora.

– Sim, sim, mas só um minuto – disse Raj. – Tenho algures um presente de Natal para ti, Ben. – Raj começou a vasculhar a pequena loja. – Onde é que ele está?

Os olhos de Ben iluminaram-se. Ele adorava presentes.

– Olha, olha, está aqui mesmo, atrás dos ovos da Páscoa. Encontrei! – exclamou Raj, mostrando um pacote de rebuçados da tosse.

Ben ficou um pouco desiludido, mas tentou escondê-lo o melhor que pôde.

– Uau! Obrigado, Raj – disse Ben, usando o tom que tinha aprendido nas peças de teatro da escola. – Um pacote inteiro de rebuçados da tosse!

– Não é só um rebuçado – disse Raj, abrindo o pacote e tirando um rebuçado para o dar a Ben. – Estes eram os rebuçados preferidos da tua avó.

– Eu sei – respondeu Ben, com um sorriso.

34

Andarilho

O funeral foi na véspera de Natal. Ben nunca tinha ido a um funeral. Achou a cerimónia um tanto bizarra. O caixão encontrava-se na parte da frente da igreja, as pessoas a assistir murmuravam hinos que desconhecia e o padre, que nunca tinha conhecido a avó, fazia um discurso aborrecido sobre ela.

A culpa não era do padre, mas ele até podia estar a falar de outra senhora qualquer que tinha acabado de morrer. Mas lá continuou num tom monótono e deprimente, falando de como a avó gostava de visitar igrejas antigas e de como era amiga dos animais.

Ben só queria gritar. Queria contar a toda a gente – à mãe e ao pai, aos tios e às tias e a toda a gente! – como a avó era incrível.

Como contava histórias espantosas!

E, acima de tudo, queria contar-lhes sobre a aventura espetacular que tinha tido com a avó, como quase tinham roubado as Joias da Coroa e como tinham mesmo conhecido a Rainha.

Mas ninguém ia acreditar nele. Ben só tinha 11 anos. Iam achar que ele tinha inventado tudo.

Quando chegaram a casa, a maior parte das pessoas que tinham estado no funeral foi lá ter. Beberam chávena após chávena de chá e comeram pratos e pratos de sandes e rolinhos de salsicha. Parecia estranho haver decorações de Natal numa altura tão triste. A princípio, as pessoas conversavam sobre a avó, mas depois já tagarelavam sobre outras coisas.

Ben sentou-se sozinho no sofá e ficou a ouvir os adultos a falarem. A avó tinha-lhe deixado todos os seus livros e agora havia grandes pilhas deles a atolar-lhe o quarto. Ben sentia-se tentado a esconder-se no quarto com eles.

Passado algum tempo, uma senhora idosa, com ar simpático, atravessou lentamente a sala com a ajuda do seu andarilho e sentou-se no sofá ao lado de Ben.

– Deves ser o Ben. Não te lembras de mim, pois não?
– disse a senhora.

Ben olhou para ela durante uns momentos.

A senhora tinha razão. Ben não se lembrava dela.

– A última vez que te vi foi no teu primeiro aniversário
– disse ela.

Então, é claro que não me poderia lembrar!, pensou Ben.

– Sou a Edna, prima da tua avó – disse ela. – A tua avó
e eu costumávamos brincar quando éramos miúdas, quando tí-
nhamos mais ou menos a tua idade. Eu dei uma queda há uns
anos atrás e, como não podia estar sozinha, puseram-me num
lar de idosos. A tua avó era a única pessoa que me vinha visitar.

– A sério? Nós achávamos que ela nunca saía – disse Ben.

– Bem, ela ia ver-me uma vez por mês. Não era fácil para
ela. Tinha de apanhar quatro autocarros diferentes. Fiquei-lhe
extremamente grata.

– A minha avó era uma senhora muito especial.

– Era, sim senhor. Incrivelmente gentil e atenciosa. Sabes,
eu não tenho filhos nem netos, por isso eu e a tua avó ficáva-
mos na sala do lar e jogávamos *Scrabble* durante horas.

– *Scrabble?*

– Sim. Ela contou-me que tu também gostavas de jogar – disse Edna.

Ben não conseguiu deixar de sorrir.

– Sim, eu adorava – respondeu Ben.

E, para surpresa dele, apercebeu-se de que não estava a mentir. Olhando para trás, ele tinha adorado jogar. Agora que a avó tinha partido, todos os momentos que tinha passado com ela pareciam-lhe preciosos. Ainda mais preciosos do que as Joias da Coroa.

– Ela nunca deixou de falar de ti – disse Edna. – A tua querida avó dizia que tu eras a luz da vida dela. Dizia que aguardava ansiosamente pelas sextas-feiras em que ficavas lá. Era a melhor parte da semana dela.

– Era a melhor parte da minha semana também – disse Ben.

– Bem, se gostas de *Scrabble*, um dia aparece lá no lar para jogarmos – disse Edna. – Agora que já não tenho a tua avó, preciso de um novo parceiro de jogo.

– Eu adorava – respondeu Ben.

*

Mais tarde, enquanto os pais viam o Especial de Natal do *Danças só com Estrelas*, Ben trepou pela janela do quarto e deslizou pela caleira. Sem fazer barulho, foi buscar a bicicleta à garagem e foi até à casa da avó uma última vez.

Estava a nevar. A neve esfarelava-se debaixo das rodas da bicicleta.

Ben contemplava-a a cair e a pousar suavemente no chão, quase não prestando atenção ao caminho. Agora já sabia o percurso de cor. Nos últimos meses, tinha ido de bicicleta a casa da avó tantas vezes que já conhecia cada falha, cada lomba na estrada.

Parou a bicicleta à porta da pequena casa da avó. A neve espalhava-se pelo telhado. Havia uma pilha de correio à porta, as luzes estavam desligadas e cá fora havia uma placa cheia de gelo, a dizer «Vende-se».

Ainda assim, Ben quase esperava ver a avó à janela.

Olhando para ele com aquele seu sorriso característico.

Mas claro que ela não estava lá. Tinha partido para sempre.

Mas não tinha partido do seu coração.

Ben limpou uma lágrima, respirou fundo e voltou para casa.

Realmente, tinha uma história mesmo incrível para um dia contar aos netos.

Posfácio

– O *Natal é uma altura especial do ano* – dizia a Rainha. Ela estava séria, como de costume, sentada majestosamente numa cadeira sumptuosa no Palácio de Buckingham. Uma vez mais, fazia o seu discurso anual à nação.

Tal como todos os anos, a mãe, o pai e Ben tinham acabado o almoço de Natal e estavam afundados no sofá a beber chá e a ver a Rainha na televisão.

– *É uma altura para as famílias se juntarem e celebrarem* – continuou Sua Majestade. – *Contudo, não nos esqueçamos dos idosos. Há umas semanas, conheci uma senhora da minha idade e o seu neto na Torre de Londres.*

Ben contorceu-se no sofá.

Olhou para os pais, mas eles estavam distraídos a olhar para a televisão.

– *Fez-me pensar em como os mais jovens devem mostrar mais*

gentileza para com os mais velhos. Se fores jovem e estiveres a ver isto, talvez te lembres de dar o teu lugar a um idoso no autocarro. Ou ajudá-lo a levar as compras, ou a jogar com ele um pouco de Scrabble. Porque não oferecer um bom pacote de rebuçados para a tosse, de vez em quando? Nós, os mais velhos, gostamos muito de rebuçados. E, acima de tudo, jovens deste país, quero que se lembrem disto: nós, os mais velhos, não somos aborrecidos. Estejam atentos, porque um dia até vos podemos surpreender.

Então, com um sorriso travesso, a Rainha levantou a saia e mostrou as cuecas com a bandeira do Reino Unido para todo o país ver.

A mãe e o pai cuspiram o chá todo pelo chão, em choque.

Mas Ben apenas sorriu.

A Rainha é uma gângster a sério, pensou ele. *Tal e qual a minha avó*.

O mundo de David Walliams

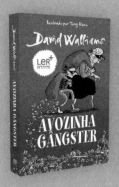